le Pastel
en pays d'oc

Les pastelliers d'aujourd'hui partagent avec bonheur leur
passion et nous tenons à les remercier tous pour leur aide
précieuse et les nombreux documents mis à notre
disposition, tout particulièrement,
Denise et Henri Lambert,
Claire Delahaye et Didier Boinnard,
avec une pensée particulière pour Catherine Haedens.
Tous nos remerciements à Patrick Deyris
pour son soutien.

Ce livre est offert à

. . . .

par

. . . .

Préface

De nos jours, touristes et visiteurs s'émerveillent des nombreux hôtels particuliers qui embellissent les villes d'Albi et de Toulouse. De pierres et de briques construits, on admire leurs façades de l'époque de la Renaissance et les tours orgueilleuses qui les surplombent. Mais souvent on ignore l'origine des fortunes qui permirent de les bâtir. Aux XVe et XVIe siècles, l'Albigeois, le Midi Toulousain et le Lauragais déploient une activité économique extraordinaire.
Paysans, grands marchands français et étrangers, collecteurs, peseurs, teinturiers, ensacheurs, transporteurs..., tout le monde s'affaire. De pesantes charrettes venant des Terreforts occitans se pressent aux portes de Toulouse. La Garonne est couverte de gabarres en partance ou revenant de Bordeaux. Toute l'Europe s'intéresse au pays d'oc. La raison de cette fortune nouvelle est la culture et le commerce du pastel, une des rares sources naturelles de colorant bleu.
Rôle du bleu dans l'histoire des hommes, culture exigeante et mystères de préparation, commerce complexe et guerre économique, bâtiments somptueux, magie des colorants et des pigments, secrets de teinturiers, tous ces éléments composent une histoire passionnante que nous allons vous faire découvrir.

Nowadays, tourists and visitors are amazed at the numerous private mansions that adorn Albi and Toulouse. They gaze in admiration at the brick and stone-built buildings with their Renaissance façades and proud towers rising above them. Yet the source of the wealth that built them often remains a mystery.
Ruined by the Hundred Years War, the region lived through an extraordinary period in the 15th and 16th centuries. Leading French and foreign merchants, farmers, collectors, weighers, dyers, baggers, carriers... the entire region throbbed with intense activity. The hillsides of the Occitan Terreforts teemed with men, women and children. Heavily-laden carts from the Lauragais region arrived in their droves at the gateway of the city. The Garonne was full of boats that came and went between Toulouse and Bordeaux. The whole of Europe was taking an interest in the pays d'oc region.
The reason for this new-found fortune was the cultivation of pastel, one of the rare natural sources of a blue dye.
The role of the colour blue in human history, the exacting cultivation methods and mysterious preparations, the complex trade and the economic war, the sumptuous buildings, the magic of dyes and pigments, the dyers' secrets... all these factors conspire to produce a fascinating story, a story that we hope you'll enjoy.

Bleu Alazado

Bleu Turquin

Bleu de Roi

Sommaire

Depuis la nuit des temps 9 ***Since the dawn of time***
De la fourrure à la soie — *From fur to silk*
Une alchimie étrange — *A strange alchemy*
Symbole de bleu — *Symbols of blue*

Le pays de cocagne 19 ***Cocagne country***
Terre d'élection — *Land of choice*
Grands marchands et capitaux européens — *Leading merchants and european capital*
Une Renaissance toulousaine — *Toulouse Renaissance*
Une économie en péril — *An economy in peril*

L'herbier des teinturiers 39 ***The dyer's herbarium***
Le pastel — *Pastel*
L'indigotier et la renouée — *The indigo plant*
La garance et la gaude — *Madder, wood and other plants*

Des champs de fleurs jaunes 49 ***Fields of yellow flowers***
De feuilles en coques — *From the leaf to the cake*
Une organisation complexe — *A complex process*
Secrets de teinturiers — *The dyer's secrets*

Palette de pastel 63 ***Palette of blue***
Pouvoir du bleu — *The power of blue*
Pastel de pigment — *Pastel pigment*
Palette de bleu — *Palette of blue*

Bleu contemporain 71 ***Contemporary blue***
Bleu de Lectoure — *Bleu de Lectoure*
Boutiques de pastel — *Pastel shops*

Recettes de bleu 81 ***Pastel recipes***
Cuve d'indigo — *Recipe for indigo*
Pastel à croquer — *Edible pastel*
Cuve de pastel — *Recipe for woad*
Paroles de bleu — *Expressions with blue*

Glossaire
Carnet d'adresses 87 *Useful addresses*
Bibliographie — *Bibliography*

Depuis la nuit des temps

Since the dawn of time

Par le péché originel, Adam et Ève découvrent la pudeur et créent le vêtement pour dissimuler les corps.
***Adam et Eve* de Giuseppe Porta, musée des Augustins, Toulouse.**
(page de gauche)

Through original sin, Adam and Eve discovered modesty and invented clothing to hide their bodies.

Depuis des milliers d'années, l'homme s'ingénie à percer les secrets des teintes dont la nature se pare. Jusqu'à la fin du XVIIIe siècle, qui voit l'apparition de la chimie, pigments et colorants d'origine végétale, animale et minérale font l'objet de recherches incessantes.
Tant d'efforts, de luttes et d'intrigues pour s'approprier les couleurs porteuses de tous les pouvoirs. Chaque société joue de cet alphabet universel pour figurer croyances et tabous. L'art en est la pleine expression, mais au quotidien, le vêtement surtout décline à l'envi toute la palette des us et coutumes de chaque culture.

De la fourrure à la soie

Mais tout d'abord, pourquoi nous vêtir? Serait-ce le besoin de protection, les contraintes climatiques ou plutôt la pudeur et le désir de plaire? Propre de l'homme, puisque les animaux n'en ont pas, le vêtement est symbole de la conscience de soi et de la conscience morale.
Au paradis terrestre, Adam et Ève s'accommodent sans souci de leur nudité. En croquant le fruit de la connaissance, ils en prennent soudainement conscience et se couvrent le corps, devenu objet de honte. Par le péché originel, ils découvrent la pudeur. Chassés de

Pigments et colorants ont fait depuis la nuit des temps l'objet de recherches incessantes.

Pigments and dyes of vegetable, animal and mineral origin, formed the focus of unstinting research.

For thousands of years, man worked hard to unravel the secrets of the colours of nature's paintbox. Until the late 19th century, which saw the appearance of chemistry, pigments and dyes of vegetable, animal and mineral origin, formed the focus of unstinting research.
So much effort, toil and intrigue went into the appropriation of colours that were the root of all powers. Every society uses this universal alphabet to represent beliefs and taboos. Art is the fullest expression thereof, but on a daily basis, it is above all clothing that

l'Éden vêtus de tuniques de peau, ils transmettent à leurs descendants une valeur morale essentielle de l'habillement. À l'inverse, de nombreuses sociétés ne l'utilisent que comme signe distinctif de leur organisation sociale. Pour d'autres cultures encore, le vêtement n'existe pas. Seul compte le costume, attribut spécifique de fonctions ou circonstances exceptionnelles. Mythologiques ou historiques, plusieurs théories s'affrontent et se confondent sur l'origine et le rôle de l'habillement. Aujourd'hui encore le débat n'est pas épuisé.

Tout commence au paléolithique. Les premiers hommes taillent la pierre, chassent rennes et mammouths. Pendant près de 600 000 ans, leur corps s'enveloppe de fourrures puis de vêtements taillés dans des peaux de bêtes. Au néolithique, soit - 3 000 av. J.-C., un profond changement survient : de chasseur et pêcheur, l'homme se sédentarise. Devenu agriculteur, il cultive le lin puis, à l'âge de bronze, apprend à filer et à tisser. Chaque civilisation invente alors son propre type de costume. Certains s'enroulent dans des pièces de lin ou de coton, que seul un drapé savant tient au corps, comme le *shenti* égyptien et le paréo. D'autres préfèrent percer un orifice dans le tissu pour l'enfiler, comme le poncho mexicain. La gandoura et la chemise inaugurent les vêtements cousus, dont la forme la plus élaborée enferme le buste et les membres, particulièrement les jambes. Quelles que soient les multiples déclinaisons et les tissus employés, on peut aisément classifier tous les vêtements par leur mode de fabrication : drapé, enfilé, cousu ou fourreau.

Conquêtes, croisades, explorations, le brassage des cultures est continuel. Costumes et matières se mêlent. Lin et laine d'Occident, soie d'Orient, coton d'Afrique et

Dès le paléolithique, les premiers hommes protègent leur corps de fourrures, puis de vêtements taillés dans des peaux de bêtes.

The first men wrapped their bodies in furs, then in clothing fashioned from animal skins.

expresses the full gamut of habits and customs of each culture.

From fur to silk

But, firstly, why do we wear clothes? Is it the need to protect ourselves, the constraints of the climate, or is it modesty and the desire to please?

Peculiar to man, and therefore distinguishing him from animals, clothing is a symbol of self-awareness and the moral conscience. In earthly paradise, Adam and Eve accepted their nudity unashamedly. Through original sin, they discovered modesty and invented clothing to hide their bodies, which had become objects of shame.

Quelles que soient la diversité et les multiples variétés de vêtements à travers les âges, on peut les déterminer selon quatre modes de fabrication : *drapé*, *enfilé*, cousu ou *fourreau*.

Every civilisation invents its own type of costume.

du Nouveau Monde, tous ces textiles requièrent les meilleures teintures pour combler les attentes de sociétés de plus en plus exigeantes.

Une étrange alchimie

L'homme s'est toujours ingénié à percer le secret des nuances somptueuses de l'univers qui l'entoure. Peintures et colorations corporelles sont connues dès la préhistoire. On estime l'apparition des techniques tinctoriales, malgré le peu de textiles parvenus jusqu'à

Conversely, many societies only use clothing as a distinctive sign of their social structure. For yet other cultures, clothing does not exist. All that matters is costume, a specific attribute of function or exceptional circumstances. Several theories converge and merge over the origin and role, both mythical and historical, of clothing.

It all began in the Palaeolithic age. The first men carved stone and hunted reindeer and mammoth. For nearly 600,000 years, men wrapped their bodies in furs, then in clothing fashioned from animal skins. In the Neolithic age, i.e. 3000 B.C., everything changed: from hunter-fisherman, man became sedentary. He turned farmer and cultivated flax, then, in the Bronze age, he learnt to spin wool and weave dyed and decorated clothing.

Every civilisation invents its own type of costume. Some wrap themselves in pieces of linen or cotton, with only a clever arrangement of folds to hold them up, as in the case of the Egyptian shenti and the sarong. Others prefer to create a hole in the fabric and slip it over the head like the Mexican poncho. Sewing skills are required for the gandoura and chemise, of which the most elaborate form is the costume known as the shift dress, which envelops the bust and limbs, particularly the legs. Whatever their diversity, they are therefore identifiable by these different manufacturing methods.

Conquests, crusades, explorations, the mixing of cultures was endless. Material and costume combined. Linen and wool from the West, silks from the East, cotton from Africa and the New World, all these textiles required the finest dyes to satisfy the needs of increasingly demanding societies.

Au cours des conquêtes, croisades et explorations, costumes et matières se mêlent.

Conquests, crusades, explorations, the mixing of cultures was endless. Material and costume combined.

nous, entre le VIe et le IVe millénaire avant notre ère.

Une bonne teinture doit imprégner profondément la fibre et résister aux agressions du soleil et du lavage. Pierres broyées, plantes ou écorces, quels que soient les colorants employés, tous ne réussissent pas cette prouesse.

La recherche est donc incessante et les découvertes sont parfois le fruit d'une étrange alchimie. Le secret du murex, par exemple, découvert par les Phéniciens : de ce banal coquillage méditerranéen, il faut d'abord s'appliquer à extraire un suc blanchâtre, et beaucoup d'intuition pour découvrir qu'au contact de l'air il s'altère. D'incolore, il devient vert puis vire au violet et enfin au rouge. On obtient ainsi la fameuse pourpre

A strange alchemy

Man has always worked hard to unravel the secrets of the sumptuous subtleties that surround him. Body paints and dyes have been known since prehistory. In the absence of specific documentation, dying techniques are thought to have emerged between four and six thousands years ago.

The purpose of dyeing is to modify the natural colour of a textile. In order to do this, it needs to completely penetrate the fibre and withstand the ravages of the sun and washing. Ground rock, plants and bark, whatever the type of colouring used, not all of them are successful.

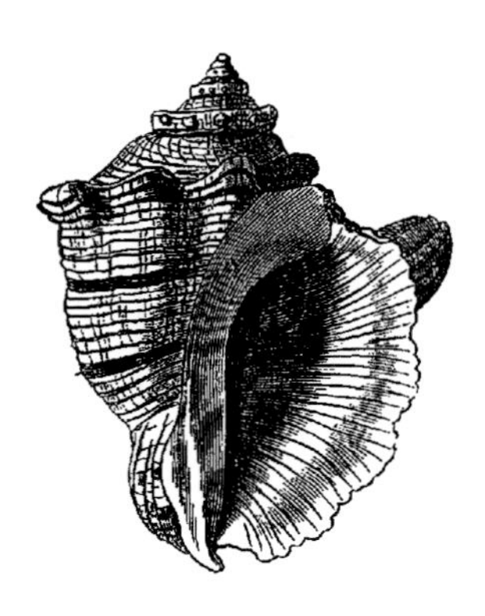

Murex et pourpres : La fameuse pourpre antique est obtenue à partir de ces coquillages méditerranéens.

Murex and purples, the famous purple is extract from these common Mediterranean molluscs.

éclatante. Couleur emblématique du pouvoir et de l'opulence du monde antique, la teinture pourpre du murex est d'une telle densité et d'une telle qualité que le gouvernement de Carthage, en 530 av. J.-C., s'attache à contrôler la Méditerranée pour s'en accaparer la production et le commerce.

Essentielle dès l'Antiquité, l'activité textile devient la plus grande industrie médiévale. Cette prépondérance ne s'est jamais démentie dans le temps et l'arrivée de la chimie dans le monde des colorants n'a fait qu'amplifier la recherche et les applications. La maîtrise des gisements mais aussi des techniques tinctoriales devient une priorité pour chaque civilisation, et les richesses qui en découlent attisent toutes les convoitises. Dans cette guerre économique qui se déroule bien au-delà des frontières de l'Europe, le pastel écrit une page d'histoire remarquable, entre le XIIIe et le XVIe siècle.

Deux raisons fondamentales expliquent l'essor de cette plante : l'extraordinaire qualité de sa teinture, et l'importance de la couleur bleue dans la société dès la fin du Moyen Âge.

Symboles de bleu

Le pastel était déjà connu des Hébreux et des Égyptiens.

Although the pastel was known about back in the Neolithic age, only the barbarians of northern Europe used it.

Depuis la nuit des temps, la couleur nous fascine. Longtemps on s'est interrogé sur sa nature : procède-t-elle de la matière, concrète et couvrante, ou plutôt de la lumière, visible et impalpable ? Il faudra attendre le XVIe siècle et la découverte du prisme par Newton pour connaître la réponse. Qu'importe, d'inspiration divine ou instrument des apparences, la couleur est le miroir de l'âme des sociétés. Chargée de symboles, au fil des

Research into the subject is therefore endless. Dyes are sometimes discovered as a result of a strange alchemy. Take, for example, the secret of the murex, a common Mediterranean mollusc discovered by the Phoenicians. It took great effort to extract from it a whitish liquid and much intuition to discover that the liquid underwent changes in contact with air. It turned green, then violet and finally red, which then went on to produce the famous brilliant purple, the symbolic colour of power and opulence in the Antique world. Its quality was such that the Government of Carthage, in 530 B.C., endeavoured to seize the Mediterranean to gain control over its trade

siècles, elle peut être perçue tour à tour comme bénéfique ou maléfique, emblème de pouvoir ou marque d'infamie. Artistes et teinturiers en usent selon les valeurs que chaque culture leur accorde.

Absent des peintures pariétales bien que connu dès le néolithique, le bleu n'a, pendant longtemps, de rôle clairement défini dans les cultures latines et européennes. Pourtant le monde oriental le charge d'un fort pouvoir magique et les Égyptiens en sont particulièrement friands. La puissance de sa couleur, symbole d'éternité, est présente dans leur vie quotidienne. Elle joue un rôle si primordial dans leurs rites funéraires qu'ils inventent le premier colorant synthétique, le bleu d'Alexandrie, pour réaliser à loisir statues et amulettes qui accompagnent les momies dans leur voyage vers l'au-delà. À la même époque, sur l'autre rive de la Méditerranée, le bleu est quasiment ignoré, du moins dans le vêtement. Seuls les barbares de l'Europe du Nord l'utilisent. Les Latins et les Hellènes jamais ne portent cette couleur, alors délaissée aux esclaves et basses catégories. Les yeux bleus suscitent même toutes les suspicions et bien malheureux est le Romain qui en est affublé. Le rouge règne en maître. Symbole de richesse et de puissance, l'empire carolingien le voit conforter son importance dans tous les domaines.

Couleur réservée aux plus pauvres et aux plus faibles, le bleu, à partir du XIIIe siècle joue un rôle déterminant dans l'histoire de France.

Dans le monde médiéval, l'église chrétienne admet trois couleurs pour l'habillement : le blanc de la pureté, le rouge du sang du christ, et le noir symbole de deuil et de pénitence. Mais pour le bleu, nul usage prescrit, hormis

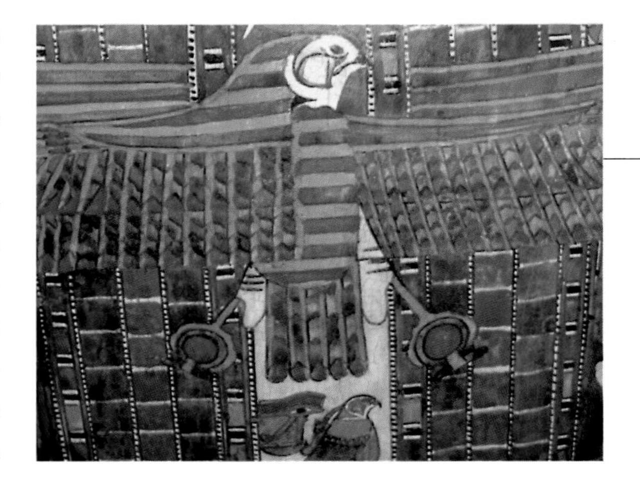

Le bleu joue un rôle primordial dans les rites funéraires des Égyptiens. Couleur de l'éternité, il couvre momies et amulettes.

The colour blue was particularly popular with the Egyptians. The power of the colour, a symbol of eternity, played an essential role in their funeral rites.

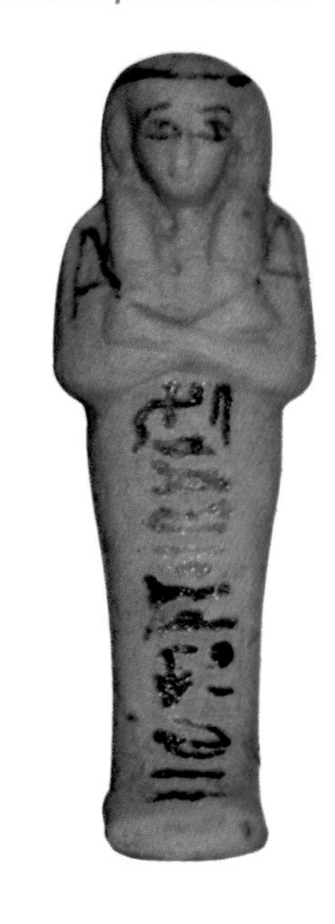

Dès la fin du Moyen Âge, le bleu envahit les enluminures. La couleur est souvent obtenue, comme ici, à base de lapis-lazuli.

From the late Middle Ages, the colour blue was abundant in illuminated manuscripts. It was often obtained, as in this case, from lapis-lazuli.

and production.

Consequently, it became a priority for each civilisation to gain control not only over the resource itself, but also over the dying techniques, and the ensuing riches became the object of everyone's desire.

The textile business, an essential sector as far back as Antiquity, was the most important of medieval industries. It continued to reign supreme over the years and the appearance of chemistry in the world of dyes only served to amplify research and applications.

During the economic war that was being waged well beyond the borders of Europe, the pastel plant wrote a remarkable page in the history books between the 13th and 16th centuries.

There were two fundamental reasons for the plant's rise in popularity; the extraordinary quality of the dye it yielded and, linked to that, the emergence of the colour blue in early medieval society.

Symbols of blue

Ever since the dawn of time, we have been fascinated by colour. We have long wondered about its nature: does it lie in the material itself, concrete and substantial, or in light, both visible and intangible? It was not until the 16th century and Newton's discovery of the prism that the answer was known. What does it matter? Whether of divine inspiration or the instrument of appearances, colour is the mirror of society's soul. Laden with symbols, across the centuries, it may be perceived either as beneficial or malevolent, a symbol of power or a mark of infamy. Artists and dyers use it according to the values that each culture grants them.

Absent from wall paintings, although it was known about back in the Neolithic age, the colour blue for a long time had no clearly defined role in Latin and European cultures. However, the Oriental world endowed it with a strong magical power and it was particularly popular with the Egyptians. Present in everyday life, the power of the colour, a symbol of eternity, played an essential role in their funeral rites.

It was almost unheard of in western Antiquity, at least in clothing. The Romans never wore blue, at the time reserved for slaves and the lower classes, and only the barbarians of northern Europe used it. Red reigned supreme throughout the Latin world and it gained in importance in all fields under the Carolingian Empire.

The medieval Christian church admitted three colours: white for purity, red for Christ's blood, and black, the symbol of mourning and penitence. Yet no trace of blue was to be found, apart from the blue for the Virgin Mary.

**À dater du XIIIe siècle, le bleu devient le code pictural de la Vierge Marie.
Plus tard, elle se couvrira d'or, puis du blanc de l'Immaculée Conception (avec un voile ou un manteau bleu).**
Vierge à l'enfant : Nostre Dame de Grasse.
**Anonyme XVe siècle.
Musée des Augustins, Toulouse.**

Marian blue, as it was known, became the pictorial code in the 13th century, although it was later abandoned first in favour of Baroque golds and then white representing the Immaculate Conception.

Le roi saint Louis renonce à la pourpre orgueilleuse et lui préfère la simplicité du bleu. Cette couleur s'impose dans ses armes et devient celle de toute la noblesse chrétienne, en France puis dans toute l'Europe.

Saint Louis preferred the simplicity of blue to the pomp of purple. From being entirely unknown, the colour of the sky and the spirit. The colour blue gradually came to symbolise the whole of Christian nobility.

pour la Vierge Marie. Les Hébreux, déjà, teignaient en bleu et les textes bibliques s'accordent tous à en vêtir la mère du Christ. Le bleu marial devient, au XIIIe siècle, son code pictural (bien qu'il fût plus tard abandonné d'abord pour les ors du Baroque et ensuite pour le blanc de l'Immaculée Conception).

Profondément dévot et peu sensible aux fastes, le roi Louis IX renonce à la pourpre orgueilleuse et lui préfère la simplicité du bleu de la Vierge. Ainsi l'azur lie son destin à la couronne. Il couvre saint Louis (Louis IX sera canonisé en 1297), s'impose dans ses armes. Longtemps négligé, le bleu devient la couleur du ciel et de l'esprit, progressivement emblématique de toute la noblesse chrétienne en Europe. Mais est-ce le même bleu, longtemps réservé aux paysans et artisans ? Sur la bure et les draps grossiers, les teintures communes prennent mal et se délavent. Or le monde médiéval aime les teintes vives, franches et denses.

Marian blue, as it was known, became the pictorial code in the 13th century (although it was later abandoned first in favour of Baroque golds and then white representing the immaculate conception). Deeply devout and scarce impressed by splendour, St. Louis preferred the simplicity of blue to the pomp of purple. Through him, azure linked its destiny to the crown of France. It clothed the King, found a place in his coat of arms and, from being entirely unknown, the colour of the sky and the spirit gradually came to symbolise the whole of Christian nobility. But was it the same blue, long reserved for farmers and artisans? Common dyes took poorly to home-spun and simple cloths and soon washed out. Yet, the medieval world loved lively, pure, dense colours.

Costume du XVe siècle

Woman's winter costume, early 15th century.

Fragment de soie teinte au pastel. Cathédrale de Rieux-Volvestre.

Fragment of silk dyed in pastel.

Le pays de cocagne

Cocagne country

Symbole des pareurs de draps.
Extrait du registre du statut des métiers.
XVe siècle.

Symbol of the cloth trimmer. Trade statutes register.

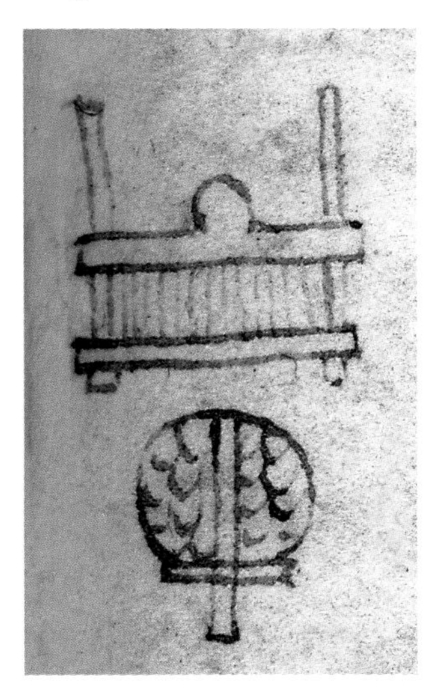

Terre d'élection

Drapiers et teinturiers réclament un colorant de valeur. L'Orient dispose de l'Indigo. Mais son importation, soumise aux aléas de la navigation, est par trop onéreuse. L'Occident, lui, use du pastel ou *guède*, deux noms pour une même plante, selon que l'on soit au sud ou au nord de l'Europe. Connu depuis toujours, le pastel est prodigue, après d'astreignantes transformations, d'un bleu exceptionnel. Le XIIe siècle voit fleurir le pastel aux quatre coins de l'Europe. L'Allemagne, l'Italie, l'Angleterre, l'Espagne et bien sûr la France le cultivent. On le trouve en Picardie et en Normandie puis progressivement en Albigeois et dans le Midi Toulousain. Gourmands d'un sol riche et calcaire, les champs de pastel dévalent les flancs des coteaux des Terreforts occitans. La douceur de l'hiver, les pluies printanières et le chaud soleil d'été leur assurent une croissance généreuse. Le pays d'oc devient rapidement terre d'élection de cette culture, qui prendra une expansion extraordinaire.

Un triangle de culture se dessine : Toulouse, Albi et Carcassonne en sont les trois sommets. Initialement, il s'établit au sud d'Albi, dans la vallée du Dadou. Puis, au départ de Toulouse, la route Narbonnaise se

Le pays d'oc devient dès le XIVe siècle terre d'élection du pastel.

In the early 16th century, the pays d'oc soon became the land of choice for the pastel.

Land of choice

Drapers and Dyers therefore began to seek a dye of some value. The East had indigo. However, the import of indigo, subject to the hazards of sailing, was far too expensive. The West had guède (woad) or pastel, two names for the same plant, depending on whether you were in northern or southern Europe. Known since the dawn of time, woad yielded a stunning blue dye after a

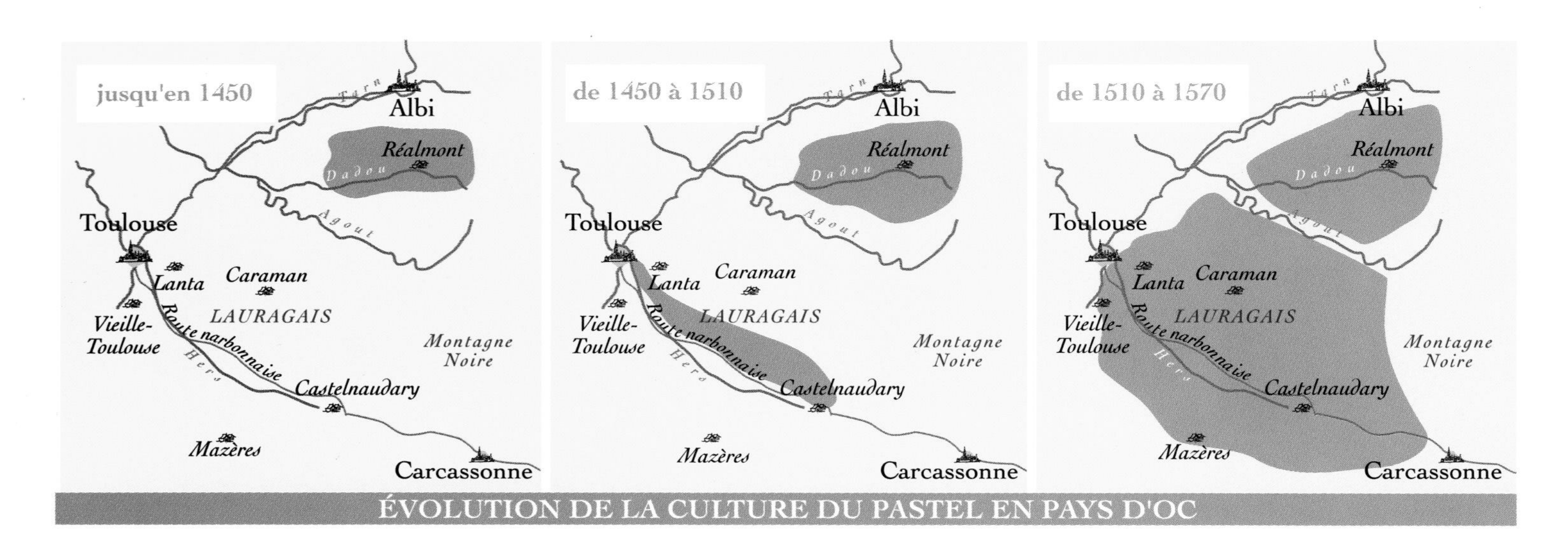

parsème de champs jusqu'à Castelnaudary. Pendant deux siècles, cette situation demeure relativement stable. Le début du XVIe siècle verra, avec l'expansion du commerce, le pastel s'étendre dans tout le Lauragais. Il déborde de la vallée de l'Hers et gagne les collines de Caraman et de Lanta jusqu'aux frontières des terres albigeoises. Sœurs occitanes, Albi et Toulouse seront néanmoins toujours rivales dans ce commerce. L'expansion se poursuit sur l'autre versant de la Route Narbonnaise, des collines de Vieille-Toulouse à Mazères. Au plus fort de la production, les marchands toulousains contrôleront près d'un millier d'hectares.

Dès le XIVe siècle, Albi détient, avec le pastel, un trésor bien embarrassant. La teinture produite est de trop grande valeur pour être utilisée sur les draps tissés dans la région, de qualité médiocre. Elle conviendrait bien mieux aux grands centres européens de production textile. La solution vient

series of demanding transformations. The twelfth century saw the pastel plant flourish throughout Europe. It was grown in Germany, Italy, England, Spain and, of course, France. It was to be found in Picardy and Normandy, but above all in the Albigeois and then in the Midi Toulousain *regions. Hungry for this rich limestone soil, fields of pastel tumbled down the slopes of Les Terreforts. The mild winters, spring rain and hot summer sun combined to ensure abundant growth. The* pays d'oc *soon became the land of choice for the crop, which was to witness an extraordinary expansion.*

A triangular belt of cultivation was established, with Toulouse, Albi and Carcassonne at each corner. The crop was initially planted to the south of Albi, in the Dadou valley. Stretching from Toulouse, the Narbonne route was dotted with fields of pastel as far as Castelnaudary. For two centuries, the situation remained relatively stable. It was in the early 16th century that, with the expansion of trade, the cultivation of pastel spread

Dès la fin du Moyen Âge, Albi fut le berceau du commerce du pastel. De nombreux hôtels enrichissent la ville, comme, ci-contre, la splendide demeure du pastellier Reynes, qui abrite aujourd'hui la chambre de commerce de la ville.

From the late Middle Ages, Albi was the birthplace of the pastel trade. The city was adorned by many a private mansion, like this one opposite, the sumptuous residence belonging to the pastel merchant Reynes, which today houses the city's Chamber of Commerce.

d'Orthez : les Béarnais organisent l'exportation et inaugurent les routes du pastel. Des convois de charrettes acheminent des centaines de tonneaux de pigment albigeois par-delà les Pyrénées vers l'Espagne, et au port de Bayonne, qui les expédie vers l'Angleterre et les Flandres. Le négoce est lucratif, mais ce système atteint rapidement ses limites. Les grands marchands entrent alors dans la danse. Leur plate-forme est Toulouse.

Des convois de charrettes acheminent des centaines de tonneaux de pigment albigeois.

Convoys of carts took hundreds of tonnes of the pigment.

throughout the Lauragais region. It extended beyond the Hers valley and reached the hills of Caraman and Lanta and as far as the borders of Albigeois territory. Nevertheless, Occitan sister regions, Albi and Toulouse, would always be rivals in this trade. Limited in the east, the expansion of Toulouse continued on the other side of the Narbonne Route, from the hills of Vieille-Toulouse to Montauriol. At the height of its production, Toulouse merchants controlled nearly one thousand hectares.

Back in the 14th century, the pastel plant became a rather awkward treasure for Albi. The dye that it yielded was of too great a value to be used on the cloth of mediocre quality woven locally. It was far better suited to the leading European textile production centres. The solution came from Orthez. The Béarnais organised its export and opened pastel routes. Convoys of carts took

Grands marchands et capitaux européens

De tradition agricole, Toulouse pique la curiosité de toute l'Europe par l'ampleur exemplaire qu'elle insuffle à la production et au négoce du pastel et les répercussions surprenantes qui en découlent.
De cité régionale, elle devient cosmopolite. La ville s'ouvre aux Basques et Aveyronnais, mais aussi aux Italiens, Allemands et surtout aux riches Espagnols, qui apportent capitaux et compétences nécessaires à la réussite de ce commerce international. Les plus grands maîtres pastelliers sont soutenus par les fortunes de Burgos, de Lyon ou de la Thuringe. En effet, les investisseurs doivent patienter trois longues années avant de réaliser leurs bénéfices.
Car il ne suffit pas de récolter les feuilles. Il faut

hundreds of tonnes of the pigment beyond the Pyrenees towards Spain and to the port of Bayonne, which then dispatched it to England and Flanders. The trade was lucrative and soon aroused great desire and interest. The leading merchants arrived on the scene. Their stage was Toulouse.

Leading Merchants and European capital

Traditionally a farming centre, Toulouse aroused the curiosity of the whole of Europe by the exemplary new dimension that it had given to the production and trade of pastel, and the surprising repercussions that were to follow.
It developed from a regional town into a cosmopolitan city and welcomed not only the Basques and the

De tradition agricole, Toulouse pique la curiosité de toute l'Europe par l'ampleur exemplaire qu'elle insuffle à la production et au négoce du pastel.

Traditionally a farming centre, Toulouse aroused the curiosity of the whole of Europe by the exemplary new dimension that it had given to the production and trade of pastel.

De feuilles en coques ou cocagnes, puis en *agranat* prêt à être employé en teinture, le pastel nécessite de longues et nombreuses transformations.

From the leaf, cake or cocagne stage, right through to the agranat ready to be used for dyeing, pastel is required to undergo a long and manifold transformation process.

Aveyronnais, but also Italians, Germans and above all rich Spaniards, who brought the capital and skills required to seal the success of this international trade. The greatest pastel producers were supported by the fortunes of Burgos, Lyon and Germany. Investors would, in effect, be compelled to wait three long years before seeing any profits.

Indeed, it was not all about cultivating and gathering leaves. Already a year would pass by after ploughing the fields. The harvest then needed to be prepared, preserved and packaged for export. The dyeing element of the pastel plant relied on fermentation. A slow and delicate operation, the controlled composting of vegetable matter required month after month of grinding, kneading and drying. Presented in the form of easy-to-transport cakes or cocagnes, *or as* agranat, *a ready-to-use ground pigment, the pastel harvest set sail for the money markets where it was finally sold. Yet a clever, reliable trader was required on the spot to engineer sales according to the fluctuating prices. A second year would pass. Payment, made in the form of bills of exchange, was converted into precious cash six months to one year later, the usual payment timeframe in the late Middle Ages. Year three would draw to a close. Farmers would then demand a commitment as soon as the sowing season began and would only deliver the valuable harvest in exchange for the coin of the realm.*

In 1450, François Robian was the first of the Toulouse pastel producers. After him, came a long line of merchants channelling all their genius into this complex trade. They required the ability to juggle with capital and

asçavoir cent neuf et neuf cens
lesd. huict cens ~~balles de semblable marchez~~ +
douze marchans sur lesd. deux navires la marque
commenceront les troys cens balles de semblable
marque les deux cens quatre vingtz
dix neuf balles faisant cinq cens quatre vingtz
dix neuf balles pour lesd. dalle marques
de semblable marque et les aultres
troys cens treze balles pour lesd. Ulstant
de telle marque et sur lesd. navire
de la compaignie le nombre de mil soixante
six balles pastel de quatre cabasses et une
balle marquee les sept cens soixante six
de semblable marque et les aultres
troys cens balles de reste marque 4
ou prin d'ud. Ulstant et aussi douze
balles de plume et une caisse marquee

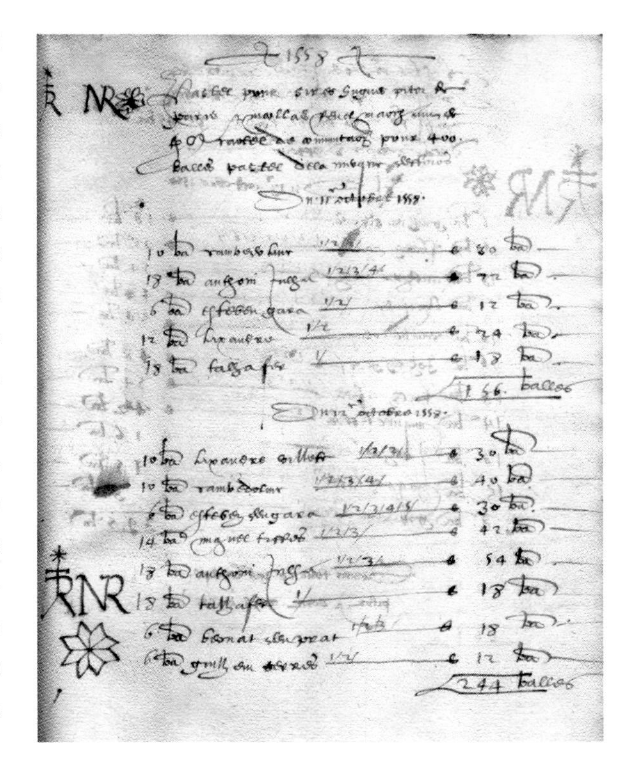

De précieux documents, transactions, accords commerciaux et décomptes de lots de pastel expédiés nous permettent de mieux comprendre ce complexe négoce. Extrait de la correspondance du pastellier Ferrières.

Valuable documents, transactions, trade agreements and time sheets recording pastel shipments give us a better understanding of this complex trade. Excerpt from the correspondence of the pastel merchant Ferrières.

encore préparer, conserver et conditionner le pastel pour l'exportation. Opération lente et délicate, le compostage contrôlé du végétal nécessite de longs mois de broyage, de pétrissage et de séchage. En coques ou cocagnes, faciles à transporter, ou encore en *agranat*, poudre de pigment prête à l'emploi, le pastel navigue vers les places financières où il sera enfin commercialisé. Encore faut-il avoir sur place un négociant habile et fiable, capable d'en orchestrer la vente au gré des fluctuations des cours. Deux ans déjà se sont écoulés depuis la récolte. Les encaissements, exécutés par lettres de change, seront transformés en précieuse monnaie six mois à un an plus tard, délais habituels de paiement à la fin du Moyen Âge. La troisième année s'achève. Or les paysans demandent un engagement dès les semailles et ne délivrent la précieuse récolte qu'en échange de pièces sonnantes et trébuchantes.

En 1450, François Robian est le premier toulousain à s'intéresser au pastel. À sa suite, une lignée de marchands exerce tout son génie dans ce commerce complexe. Il faut savoir jongler avec les capitaux, spéculer sur toutes les places étrangères, tout en surveillant avec inquiétude la météo et la croissance des futures récoltes. De telles difficultés révèlent les talents.

Si le pays d'oc propose un pastel d'excellente qualité, l'Italie, la Thuringe et l'Angleterre produisent aussi le précieux colorant. La concurrence est âpre. Pour conquérir de nouveaux marchés, Jean Boisson initie l'envoi d'échantillons des récoltes.

C'est à Pierre Fabre et son fils Antoine que l'on doit

speculate on all the foreign money markets, while attentively monitoring the weather forecast and the growth of future harvests. Such difficulties revealed talents.

Jean Boisson was the first to instigate the dispatch of samples to capture new markets. Pierre Fabre and his son, Antoine, were responsible for introducing river transport to Bordeaux, safer and faster than the ox-drawn cart. The Lancefoc brothers, Pierre and Simon, broke new ground by controlling the entire trade, from the cultivation to the sale. Prices and sales were negotiated outside Toulouse. If the entrepreneur was unskilful or corrupt, there were very few means of controlling him and preventing him from delving into the

De grands marchands s'illustrent dans ce commerce difficile, comme, représenté ici, un des frères Lancefoc.

Several generations of great families who redefined the city thanks to the fortunes they had amassed from the pastel plant.

la création du transport fluvial du pastel vers Bordeaux, plus sûr et plus rapide que les chars à bœufs.

Le marché est européen, il se déroule sur les principales places boursières : les cours et les ventes se font hors de Toulouse. Si les commanditaires habilités par les négociants toulousains sont malhabiles ou corrompus, bien peu de moyens existent pour les contrôler et les empêcher de puiser dans les caisses. Les frères Lancefoc, Pierre et Simon, innovent en contrôlant l'ensemble du commerce, de la culture à la vente.

Les cours d'une bourse s'effondrent et les espoirs sont réduits à néant. Pour limiter les risques, Pierre d'Assézat, le premier, implante des comptoirs de commercialisation dans toutes les places : Anvers mais aussi Londres, Pampelune et Bilbao. Il peut ainsi jongler selon les marchés et vendre sa récolte au meilleur prix.

Comme le vin, le pastel est soumis aux aléas du climat. On ne peut qu'espérer. Avant la récolte, nul ne peut être sûr de la qualité réelle de chaque millésime. Pour en assurer la cote, il vaut mieux s'abstenir de vendre les récoltes de qualité médiocre. Seuls les plus riches peuvent se priver d'une année de pastel.

Les délais d'investissement sont si longs, que pour y pallier, les marchands toulousains s'allient et organisent un marché du pastel à Toulouse. Les mauvaises années, n'ayant plus à supporter les lentes exportations, les marchands réalisent leurs avoirs plus rapidement et usent des précieux capitaux pour

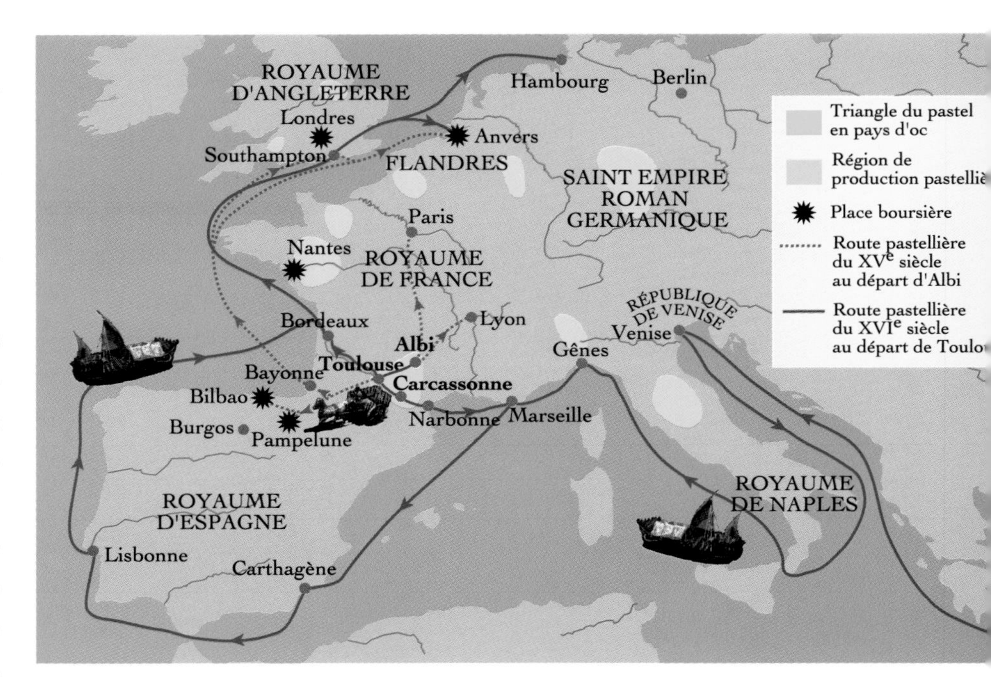

coffers. Stock market prices collapsed, as they did in Antwerp in 1560, and hopes were dashed. In order to reduce the risks, Pierre Assézat set up a marketing service in every stock exchange: Antwerp, London, Pampelona and Bilbao. Like wine, pastel was subject to the whims of the climate. One could but hope, but no-one could ever be sure before the harvest of the actual quality of each crop. In order to guarantee the share price, it was deemed wiser to refrain from selling harvests of mediocre quality. Only the richest producers could go without a year of pastel. Yet the investments were so long-term, that to remedy the situation, the Toulousains set up a pastel market in Toulouse. During the lean years, the merchants did not take so long to sell their goods since they no longer had to put up with the slow export market and they used their precious capital

spéculer sur les récoltes futures. Les bonnes années, attirés par la rumeur, courtiers et émissaires étrangers accourent pour acquérir les premiers la précieuse récolte. Les cours flambent et les marchands peuvent exiger les meilleures conditions.

Ainsi se met en place un commerce étonnant qui hissera Toulouse au rang de grande ville européenne.

Une Renaissance toulousaine

Durant le XIVe siècle, Toulouse doit faire face à de nombreux incendies. Le pire reste à venir. En 1358, une terrible peste s'abat sur la ville et anéantira en quelques années près d'un tiers des habitants. Épuisée

Grâce à l'or du pastel, les grands marchands embellirent la ville. De nombreux hôtels furent construits ou rénovés à la Renaissance.

Great families redefined the city thanks to the fortunes they had amassed from the pastel plant.

to speculate on future harvests. During the fat years, on the strength of hearsay, courtiers and foreign emissaries flocked to be the first to acquire the precious harvest. Prices soared and merchants were able to demand the best terms.

Toulouse Renaissance

Already drained and destroyed by the Hundred Years War, Toulouse suffered numerous fires. The worst was yet to come. In 1358, a terrible plague broke out over the city and wiped out nearly a third of its inhabitants in a few years. The city entered the fifteenth century quite weakened. It was described as "... an obsolete city: numerous abandoned buildings disfigure the streets and the only bridge over the Garonne is poorly maintained...".

Boisson, Lancefoc, Delfau, Beauvoir, Cheverry are among the names illustrating several generations of great families who redefined the city thanks to the fortunes they had amassed from the pastel plant. Each family celebrated its success by building a splendid private mansion. There are so many in Toulouse that it would be impossible to describe them all. Amidst this gay architectural plethora, two buildings stand out, their destinies as remarkable as those of their owners.

The Hôtel de Bernuy *stands on the* Rue Gambetta, *near the Jacobin church. Undertaken in the early 16th century, the construction of this elegant edifice extended, due to the purchase of successive parcels of land, over more than thirty years. From its high brick façade to the immense caisson vault of the first yard,*

La belle Paule fut surnommée ainsi par François Ier, lors de sa venue à Toulouse. Née Paule Viguier, elle était la nièce du pastellier Lancefoc. Sa beauté était si légendaire, qu'elle devait, par décret capitulaire, se présenter à l'admiration des Toulousains une fois par semaine.

Paule Viguier was given the nickname* La Belle Paule *by François I when she arrived in Toulouse. She was the niece of the pastel merchant Lancefoc. Her beauty was so legendary that she was required, by Chapter decree, to allow herself to be admired by the Toulousains once a week.

et meurtrie par la guerre de Cent ans, la cité entre dans le XVe siècle bien exsangue, on la décrit comme « une ville vétuste : de nombreux immeubles à l'abandon défigurent les rues et l'unique pont sur la Garonne est mal entretenu… ».

Boisson, Lancefoc, Delfau, Beauvoir, Cheverry, ces noms illustrent plusieurs générations de grandes familles qui, par leurs fortunes issues du pastel, redessinèrent la ville. Tous célèbrent leur réussite en construisant de magnifiques hôtels particuliers. Toulouse en compte un tel nombre que l'on ne pourra s'attacher à tous les décrire. Parmi cette heureuse pléthore architecturale, deux bâtiments se distinguent, au destin aussi remarquable que celui de leurs propriétaires.

Façade de l'époque Renaissance de l'hôtel de Clari, attribué à Nicolas Bachelier.

Renaissance facade of the hôtel de Clari, attributed to Nicolas Bachelier.

L'hôtel de Bernuy se dresse rue Gambetta, proche de l'église des Jacobins. Entreprise au début du XVIe siècle, la construction de cet élégant édifice s'étale, en rachats successifs de parcelles, sur plus de trente ans. De sa haute façade de brique à l'immense voûte à caissons de la première cour, on y découvre une subtile combinaison du style gothique et du style de la Renaissance. La tour hexagonale, emblème de réussite, se dresse dans la deuxième cour. Percée de sept fenêtres surmontées de bustes en haut-relief, elle s'achève par une terrasse décorée de gargouilles. Son propriétaire, Jean Bernuy, fils du gouverneur de Burgos, mettra les fortunes d'Espagne au service du pastel. Il amassa un trésor si fameux qu'il put se porter garant du paiement de la rançon de François Ier, prisonnier de Charles Quint à Pavie. Il en fut remercié par une visite du Roy de France, dès sa

La tour hexagonale, dressée dans la deuxième cour, est l'emblème de la réussite de Jean Bernuy. Percée de sept fenêtres, surmontées de bustes en haut-relief, elle s'achève par une terrasse décorée de gargouilles. Ci-contre, détail de la porte principale.

The hexagonal tower, the symbol of Jean Bernuy success, rises in the second yard. With its seven windows, topped by high-relief busts, the edifice is completed by a terrace adorned with gargoyles.

libération. Encorné par un taureau qu'il voulait voir combattre, sa mort brutale le fait entrer dans la légende taurine de la cité. Racheté, le bâtiment se consacre, dès 1587, à l'enseignement. Au gré de l'histoire, collège jésuite puis royal, national et impérial, il devient lycée en 1852 et abrite encore de nos jours le grand lycée Pierre-de-Fermat.

L'hôtel d'Assézat connaît lui aussi un destin exemplaire. Entrepris en 1555, ce joyau de l'architecture de la Renaissance est un des monuments les plus emblématiques de la ville. On attribue à l'architecte Nicolas Bachelier, sans réelle certitude, la construction de ce véritable palais, édifié près du Pont-Neuf. L'imposant portail de bois ouvre sur une somptueuse cour d'honneur. De pierres et briques mêlées, les hautes façades reflètent une charmante lumière, adoucissant l'exubérance des trois étages. Colonnes doriques, ioniques et corinthiennes encadrent les fenêtres et l'ensemble est complété par une tour de brique. Deux terrasses successives y permettent d'atteindre le dôme hexagonal qui la parachève. Pierre Assézat brilla sur le marché du pastel par son talent. S'il fut discret sur le montant exact de sa fortune, il fit de son hôtel une éclatante preuve de sa prospérité. La fin de sa vie fut malheureusement plus tragique. Pris dans la tourmente de la lutte contre le protestantisme, il dut s'enfuir un temps de la cité. Ruiné par l'indigo, il mourut seul, dans son hôtel inachevé, en 1581. Monument manifeste de toute la puissance du pastel, l'hôtel d'Assézat, légué à la ville, reste symbolique de la connaissance et de la culture à Toulouse. Siège des sociétés savantes, il est depuis 1993 l'écrin prestigieux

L'hôtel de Bernuy est un élégant édifice qui abrite de nos jours le grand lycée de Toulouse. L'immense voûte à caissons de la première cour est très caractéristique du style de la Renaissance.

The hôtel de Bernuy *is an elegant edifice. It became a* lycée *in 1852 and to this day still houses the prestigious* lycée Pierre-de-Fermat.

visitors will note a subtle combination of styles ranging from the Gothic to the Renaissance. The hexagonal tower, the symbol of its success, rises in the second yard. With its seven windows, topped by high-relief busts, the edifice is completed by a terrace adorned with gargoyles. Its owner, Jean Bernuy, son of the Governor of

Marchand exemplaire, Pierre d'Assézat, mourut seul dans son hôtel inachevé en 1581, ruiné par l'indigo.

Pierre Assezat was an oustanding talent on the pastel market. He died alone, in 1581, in his unfinished mansion.

des collections de la Fondation Bemberg.

Le XVIe siècle voit l'argent couler à flots. Par l'or bleu du pastel, les grands marchands soutiennent architectes mais aussi artistes et écrivains. Une véritable Renaissance toulousaine enflamme la cité. Mais l'horizon s'obscurcit et de lourds nuages s'amoncellent au-dessus du Lauragais.

Burgos, was to plough Spain's fortunes into the cultivation of pastel. He amassed a fortune so famous that he was even able to stand surety for the payment of the ransom for François I, imprisoned by Charles Quint at Pavie. The King of France paid him a visit to thank him personally on his release. After expressing a desire to see a bullfight, he was gored by the bull and his brutal death made him part of the city's bullfighting legend from then on. After it was sold back in 1587, the building was devoted to education. Subject to the whims of history, first a Jesuit, then a royal, a national and finally an imperial college, it became a lycée in 1852 and to this day still houses the prestigious lycée Pierre de Fermat.

The hôtel d'Assézat *was also a building with an exemplary destiny. Undertaken in 1555, this jewel of Renaissance architecture is one of the city's most symbolic monuments. The construction of this veritable palace near the Pont Neuf is attributed, without any real certainty, to the architect, Nicolas Bachelier. The impressive wooden gateway, flanked by two wreathed columns, opens onto a sumptuous main courtyard. Combining stone and brick, the high façades reflect a wonderful light, toning down the exuberance of its three storeys. Doric, Ionic and Corinthian columns frame the high windows and the whole is completed by a brick tower. Two successive terraces allow access to the hexagonal dome surmounting it. Pierre Assézat was an outstanding talent on the pastel market. Although he was discreet about the exact amount of his fortune, his mansion was a stunning illustration of his prosperity. Unfortunately, towards the end his life was more tragic.*

Consoles à volutes de la coursive décorées de fleurs de pastel.

Stone supports on a passageway, adorned with pastel flowers.

L'hôtel d'Assézat est un véritable palais. Construit de pierres et de briques, il se dresse non loin de la Garonne, qui emportait le précieux pastel vers les grandes villes d'Europe. Monument emblématique de Toulouse, il est de nos jours le siège des sociétés savantes et surtout, depuis 1993, l'écrin des trésors de la Fondation Bemberg.

The hôtel d'Assézat *is a veritable palace, near the Pont-Neuf. This jewel of Renaissance architecture is now the headquarters of learned societies and has housed the Bemberg fondation collections since 1993.*

Une économie en péril

L'indigo d'Orient tente bien de concurrencer le pastel, cependant ses coûts d'importation et les mesures protectionnistes qui le frappent lui interdisent les marchés européens. Pourtant plusieurs facteurs vont concourir à sa prééminence à l'aube du XVIIe siècle.

En France, l'humeur est morose. Au milieu du XVIe siècle, l'usage du pastel est terni par une mauvaise image. La qualité n'est pas toujours au rendez-vous, mais surtout, les négociants sont accusés de bien des roueries. Chargement d'*agranat* lesté de sable pour

Overwhelmed by the torment of the struggle against Protestantism, he had to flee the city for a while. Ruined by indigo, he died alone, in his unfinished mansion, in 1581. Symbolic of the full power of the pastel plant, the hôtel d'Assézat, *bequeathed to the city, remains a symbol of the city's knowledge and culture. Now the headquarters of learned societies, it has housed the Bemberg Foundation collections since 1993.*

The sixteenth century saw a steady stream of money. The blue gold allowed the top merchants to support architects, artists and writers. A true Toulouse Renaissance inflamed the city. But the horizon darkened and heavy clouds gathered over the Lauragais region.

An economy in peril

Indigo from the east was trying desperately to compete with pastel. However, high import costs and protectionist measures prevented it from entering European markets. Yet several factors were responsible for its preeminence in the late 16th century.

In France, the mood was gloomy. The use of pastel was tarnished by a poor image. The quality was not always perfect, but, more importantly, traders were being accused of underhand tactics. Agranat *loads were ballasted with sand to increase their weight, top quality pastel was "extended" with poor quality pastel in order to sell off lowly goods at high prices, the recriminations against pastel producers took their toll on drapers and dyers and sullied their reputation. Yet, 1492 marked a vital stage for the Spanish. They took control of the New World, they pillaged its rich resources and took control*

L'année 1559 marque le début des années sombres du pastel. De mauvaises récoltes en pratiques délictueuses, le krach boursier de 1561 devient inéluctable.

In 1561, the quality was execrable. Poor alliances and a lack of foresight led some merchants, nonetheless, to flood the market with the poor harvest. The stock market crash was inevitable, resulting in ruin for the pays d'oc.

L'indigo est obtenu à partir des hautes feuilles de l'indigotier, petit arbuste semblable à l'acacia.

Indigofera tinctoria *is a shrub, a member of the acacia family from which a strong dye is extracted called indigo.*

La découverte du Nouveau Monde fut capitale pour l'indigo. Généreuse pour le coton, la terre des Caraïbes convint particulièrement à l'indigotier, nouvellement implanté. Il développa une variété indigène d'excellente qualité, il ne restait plus qu'à vaincre les mesures protectionnistes du pastel pour l'exporter vers le Vieux Continent.

The oriental indigo plant was introduced on the New World. The tree took so well that it developed its own indigenous species.

en alourdir le poids, pastel de grande qualité *allongé* de mauvais pastel, pour écouler à prix d'or de la vile marchandise, les récriminations contre les pastelliers en entachent lourdement la réputation et lassent drapiers et teinturiers. 1492 marque pour les Espagnols une étape primordiale : ils s'approprient le Nouveau Monde, pillent ses richesses et s'abrogent terres et indigènes. Ils *délocalisent* l'indigotier d'Orient et l'implantent sur ce nouveau continent. L'arbre se trouvera si bien qu'il développe une espèce indigène. Cette nouvelle variété est riche en teinture, d'excellente qualité. Réduite à l'esclavage, la main d'œuvre est gratuite, et l'indigo est désormais à un coût

of the land and the indigenous population. They "relocated" the oriental indigo plant and introduced it on this new continent. The tree took so well that it developed its own indigenous species. This new variety was rich in indigo and of excellent quality. The workforce consisted of slaves and was therefore free and from then on the cost of indigo was competitive. Yet its export was still restricted by heavy protectionism.

It would take a good harvest to save the pastel crop. Everyone believed this would happen in 1558, but the storm clouds gathered and decreed otherwise. Torrential rain flooded the Lauragais region for three years and with it the precious harvests. In 1561, the quality was so

compétitif. Mais son exportation est encore freinée par un fort protectionnisme.

Une bonne récolte sauverait le pastel. Tous y croient en 1558, et pourtant le ciel se couvre et en décidera autrement. Des pluies diluviennes noient le Lauragais trois années durant et avec lui les précieuses récoltes. En 1561, la qualité est si exécrable que les cours s'effondrent. Mauvaises ententes, manques de prévoyances, certains marchands inondent quand même le marché de cette piteuse récolte. Le krach boursier est inévitable, entraînant la ruine en pays d'oc.

En 1562, les guerres de Religion, contre les protestants, vont à nouveau fragiliser le pays. Pour le pastel, les conséquences sont fatales : persécutions et arrestations se succèdent, certains pastelliers sont directement impliqués et les routes commerciales désorganisées par les conflits. Comment résister ? D'autant que nombre de grands marchands ont été élus au poste honorifique de Capitoul. En charge des affaires de la cité toulousaine, considérablement enrichis en or et en terres, ils aspirent désormais plus aux honneurs et à la jouissance de leurs biens qu'au tumultueux négoce.

Malgré les efforts des Albigeois et, en 1699, le soutien du Roy, les moulins pastelliers disparaissent un à un. On les comptait par centaines, quelques maigres dizaines tournent encore au début du XVIIIe siècle. D'abord frauduleusement, puis de plus en plus ouvertement, l'indigo, longtemps appelé « teinture de l'enfer », s'impose dans les cuves de bleu. Les mesures d'interdiction font long feu sous la pression des utilisateurs. En 1737, l'indigo est officiellement re-

Nombre de grands marchands du pastel furent élus Capitouls.

Several leading merchants were elected Capitouls.

execrable that prices slumped. Poor alliances and a lack of foresight led some merchants, nonetheless, to flood the market with the poor harvest. The stock market crash was inevitable, resulting in ruin for the pays d'oc.

In 1562, the Wars of Religion against the protestants once again weakened the country. For the pastel plant, the consequences were fatal. Some actors were directly hit and the pastel routes were disrupted by the conflicts. How to resist? Particularly since several leading merchants, having acquired a great wealth of gold and land, from now on aspired to a life spent enjoying their possessions and glory rather than one of tumultuous trading.

Despite the efforts of the Albigeois and the support of the King in 1699, the pastel mills disappeared one by one. They once existed in their hundreds, but by the early 18th century just a few dozen remained in operation. At first, fraudulently, then more and more openly, indigo found its way into the blue vats. Known

La fortune quitte les terres de pastel au profit des grands ports, nouvellement enrichis par le commerce de l'indigo.

Fortunes changed hands, they abandoned Toulouse and the entire economy of the pays d'oc in favour of the big ports of Bordeaux, Nantes and Marseille, grown rich by the import of indigo.

connu et son commerce autorisé. La fortune change de mains, elle quitte Toulouse et le pays d'oc au profit des grands ports de Bordeaux, Nantes et Marseille, nouvellement enrichis par l'importation de l'indigo du Nouveau Monde.

for a long time as the "dye from hell", indigo saw the prohibition measures collapse under pressure from users. In 1737, indigo was officially recognised and trading was authorised. Fortunes changed hands, they abandoned Toulouse and the entire economy of the pays d'oc centred on the cultivation and processing of pastel, in favour of the big ports of Bordeaux, Nantes and Marseille, grown rich by the import of indigo.

De la même famille que le radis, le pastel possède une racine ligneuse qui pénètre profondément dans le sol.

Pastel is a biennial herb with a large woody root that grows deep into the ground.

L'herbier des teinturiers

The dyer's herbarium

Parmi toutes les ressources naturelles de colorants, les végétaux offrent de multiples possibilités pour teindre en rouge, jaune, vert, composant un magnifique herbier pour les teinturiers.
La nature est prolixe de plantes tinctoriales mais peu d'entre elles permettent de teindre en bleu. Les paysans du Moyen Âge savaient tirer de certaines écorces de bois et des baies de sureau un bleu de mauvaise qualité. Seuls le pastel, l'indigotier et la renouée offrent un colorant exceptionnel tant par sa densité que par sa tenue.

Le pastel

Le pastel est une plante crucifère répandue sur tous les continents. *Canescens*, *Sylvestris*, *Alpina*, *Oxycarpa*... il existe bien des variétés d'isatis, chacune aux vertus spécifiques. L'objet de notre étude est l'*Isatis tinctoria*.
Cette source de bleu est connue et utilisée depuis la plus haute antiquité. Cette variété est bisannuelle. Sa croissance se déroule en deux phases. D'abord au ras du sol pousse un premier plant de feuilles dont on extrait le pigment. Plusieurs mois plus tard apparaît une fleur haute, qui produit les graines précieuses.

Pétales et sépales de la fleur de pastel se disposent en croix.

Après la floraison, le pistil forme une capsule sombre.

Petals and sepals, arranged in a cross pattern, protect the pistil.

The pistil, after maturation, develops into a flat capsule.

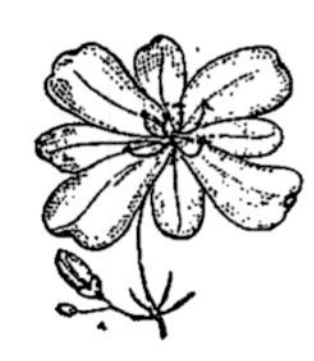

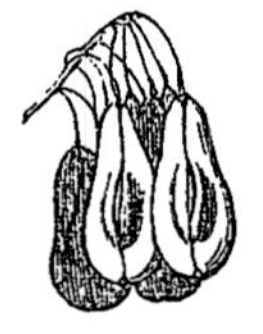

À son premier stade de maturation, le pastel présente une rosette de feuilles oblongues.

The leaves are oblong, slightly elliptical, rounded at the end and unfurl at ground level in a rosette formation.

Out of all the natural dye resources, plants offer numerous dyeing possibilities for obtaining reds, yellows and greens, providing dyers with a magnificent herbarium. Leaves, seeds or roots, composted, dried or ground, together they cover the main colours, red, yellow, green and blue. Nature abounds with tinctorial plants, but only a few of them yield a blue dye. Medieval farmers had the ability to extract a poor quality blue from certain wood barks. Only pastel, indigo and polygum can be used to produce an exceptional dye in terms of density and durability.

Le pastel est de la famille des Brassicae, comme les choux et les radis. Semé en hiver ou au printemps, il développe une grosse racine ligneuse qui pénètre profondément dans le sol. Au bout de quelques mois apparaissent les premières feuilles. Oblongues, légèrement elliptiques, aux bouts arrondis, elles se déploient au ras du sol, en rosette d'une trentaine de centimètres de diamètre, en moyenne. Récoltées dès maturation, les feuilles repoussent rapidement. On peut ainsi procéder jusqu'à trois ou quatre récoltes, entre le mois de juin et le mois de novembre.
Si le plant n'est pas récolté ou arraché, il fleurit au

Pastel

A cruciferous plant spread over all continents, there are many varieties of pastel. Only the Isatis tinctoria *is the subject of our study.*
Pastel is a biennial herb with a large woody root that grows deep into the ground. Its leaves are oblong, slightly elliptical, rounded at the end and unfurl at ground level in a rosette formation thirty or so centimetres in diameter on average.
After several months, one or more strong stems emerge bearing leaves of a very different shape, more slender

On peut voir refleurir le pastel au pied des remparts de Toulouse, dans le jardin du square Raymond VI.

Visitors can see the pastel plant once again in flower at the foot of the ramparts of Toulouse, in the gardens of Square Raymond VI.

En pleine floraison, le pastel hisse au-dessus des autres cultures le jaune éclatant de ses multiples petites fleurs.

A multitude of tiny yellow flowers appear at the approach of summer.

bout de quelques mois. Une à plusieurs fortes tiges jaillissent de la rosette et s'élèvent à plus d'un mètre. Ces tiges présentent de nouvelles feuilles bien différentes, plus fines et plus effilées. Jamais utilisées en teinture, elles apparaissent pourtant chargées aussi de principe colorant.

Très nombreuses, de petites fleurs, disposées en panicule au sommet des tiges, éclosent à l'approche de l'été. Leur jaune éclatant illumine les flancs de coteaux. Si l'on ne voit plus de nos jours les collines couvertes de pastel en fleur, les champs de colza, de la même famille, offrent une vision similaire. Les fleurs sont composées de quatre pétales, et quatre sépales. Disposés en croix, ils protègent le pistil.

and tapering. A multitude of tiny yellow flowers, arranged in a tuft at the tip of the stems, appear at the approach of summer. Although hillsides covered in flowering pastel are now a thing of the past, fields of rape, which belongs to the same family, present a similar aspect. Four petals, arranged in a cross pattern, protect the pistil, which, after maturation, develops into a flat capsule containing two purplish brown seeds or siliques. These contain the precious orangey-ochre seeds that will help to cultivate new fields.
Reputed for its tinctorial properties, Isatis tinctoria, *a member of the cabbage or radish family, has remarkable virtues as a fodder plant, although rarely used. The earliness and persistence of the rosettes help to ensure quality fodder all year round, eaten freely by cattle and sheep. The plant is also attributed with medicinal properties, known since earliest Antiquity. Used in*

Après la floraison, les buissons s'alourdissent. Le pistil grossit, s'allonge et forme une capsule aplatie contenant deux fruits brun-violacé, ou siliques. Ces dernières recèlent les précieuses graines ocre orangé qui permettront d'ensemencer de nouveaux champs.
Réputée pour ses propriétés tinctoriales, l'*Isatis tinctoria* présente de remarquables vertus fourragères, bien que peu utilisées. La précocité et la persistance des rosettes permettent d'assurer un fourrage de qualité tout au long de l'année, dont peuvent s'accommoder bœufs et moutons.

De la couleur des siliques, plus ou moins violacées, on peut prévoir la qualité des graines ocre qu'elles renferment.

Purplish brown seeds or siliques contain the precious orangey-ochre seeds that will help to cultivate new fields.

On prête aussi à la plante des valeurs médicinales. En application ou en décoction, elle permettrait de soulager toutes sortes d'affections de la peau, du foie et même de guérir du scorbut !

De récentes recherches ont révélé de grandes qualités oléagineuses qui trouvent un débouché original dans la parfumerie et l'industrie cosmétique.

L'indigotier et la renouée

Grand rival du pastel, l'indigotier, de la famille des acacias, pousse initialement en Orient. L'*Indigofera* comporte de nombreuses espèces. La plus utilisée en teinture est l'*Indigofera tinctoria.*

Haut d'un mètre cinquante à deux mètres au maximum, ce petit arbre se couvre de délicates fleurs

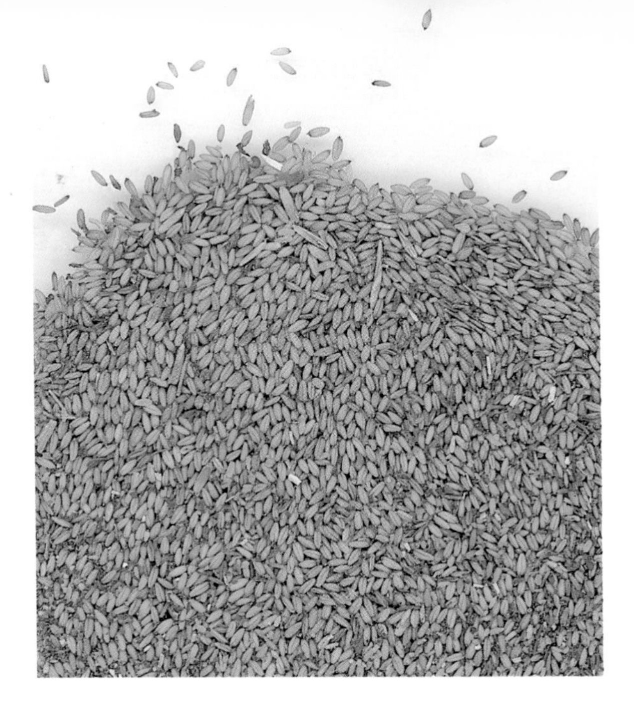

Après la floraison, le pistil forme une capsule sombre contenant les siliques.

The pistil, after maturation, develops into a flat capsule containing two purplish brown seeds or siliques.

applications or decoctions, it is thought to help cure all kinds of skin and liver ailments and even scurvy!

Recent research has revealed great oleaginous qualities which have found a unique opening in perfumery and cosmetics.

The indigo plant

A great rival of the pastel plant, this shrub, a member of the acacia family, grew initially in the Far East. The Indigofera *comprises numerous species. The species most commonly used in dyeing is* Indigofera tinctoria.

Growing to a maximum height of one and a half to two metres, this small tree is covered in delicate pink, purple flowers which develop into pods. It is particularly prized for the young leaves found at the tip of the tree, from which a strong dye is extracted called indigo. Its preparation is just as long and laborious as that of pastel.

L'indigotier est un arbuste. À la floraison, il s'orne de délicates fleurs roses. On utilise les feuilles situées au sommet pour obtenir l'indigo.

The Indigotier is a small tree, covered in delicate pink, purple flowers which develop into pods. It is particularly prized for the young leaves found at the tip of the tree, from which a strong dye is extracted called indigo.

Garance.

Madder.

Gaude.

Wood.

roses, violettes qui se transforment en gousses. Ce sont les jeunes feuilles situées au faîte de l'arbre qui attisent toutes les convoitises. On en extrait un colorant puissant, l'indigo. Sa préparation est aussi longue et pénible que celle du pastel. Prêt à l'emploi, il se présente en bloc si solide que l'on crut longtemps en occident qu'il était d'origine minérale. Pigment d'excellente qualité, si le bleu obtenu est différent de celui du pastel, sa teinture requiert beaucoup moins de matière première et teint les fibres d'origine animale ou végétale sans le moindre besoin de préparation.

La troisième plante majeure dans la teinture bleue est la renouée ou *Polygonum*. Elle est de la famille des Polygonacées. Affectionnant les lieux humides, elle est relativement semblable à notre persicaire, Ses feuilles fragiles sont mises en terreau. Soigneusement composté, c'est ce mélange qui est utilisé par les teinturiers. On obtient un bleu de grande qualité et qui offre une palette de nuances délicates. Très prisée au Japon, sa culture y connaît un nouvel engouement depuis la fin du XXe siècle.

La gaude et la garance

Le jaune est principalement obtenu à partir de la gaude, doctement nommée *Réséda lutéola*. Des graines de cette plante bisannuelle, on obtient un jaune extrêmement résistant. Mais bien d'autres sources de colorant jaune existent : le safran, bien sûr, mais aussi l'épiaire, le gaillet des marais, le nénuphar

Ready for use, it is presented in blocks so solid that for a long time in the west it was thought to be of mineral origin. The pigment obtained is of excellent quality, although the blue differs from that of pastel. The dye requires far fewer raw materials and dyes fibres of animal or vegetable origin without the need for mordant.

The third major plant to yield a blue dye is Polygonum, *belonging to the polygonaceae family. The plant is fond of damp places and is relatively similar to our Chinese Indigo. The fragile leaves are carefully composted to produce the mixture used by dyers. The process yields a high-grade blue covering a range of delicate nuances. Highly prized in Japan, its cultivation has witnessed a new boom since the late 20th century. Other plant sources of blue dye, of a much poorer quality, include the bark of the dwarf alder, the elderberry and the orchid.*

Madder, woad and other plants

Red can be obtained from many common plants, such as the white orache, the hyacinth, the dragon tree and certain varieties of lichen. However, the reference dye comes from the madder plant, Rubia tinctorum. *The roots of this oriental plant are orangey-red, from which, once properly dried, the famous red colour is extracted. Yellow is chiefly obtained from what is learnedly termed* Reseda luteola *or wood. The seeds of this biennial plant yield an extremely light fast yellow. Yet there are many other sources of yellow dye: besides saffron, of course, there is stachys, common marsh-bedstraw and the white*

blanc. Les écorces des arbres fruitiers, comme le pommier, le noyer peuvent être utilisées. Seul le vert pose un réel problème. Omniprésent dans la nature, de l'hibiscus à la persicaire, feuilles de bouleau ou de rosier, il est bien difficile d'en obtenir une teinture satisfaisante. Le meilleur moyen reste de mêler le jaune au bleu pour obtenir les meilleures nuances.

Les rouges peuvent êtres obtenus par de nombreuses plantes communes, comme l'arroche blanche, la jacinthe, l'arbre dragon et certaines variétés de lichen. Mais la teinture de référence est issue de la garance, *Rubia tinctorum*. Cette plante, venue d'Orient, présente des racines rouge orangé. Convenablement séchées, on en extrait le célèbre rouge.

Utilisées isolément, toutes ces plantes permettent, selon leur qualité, une teinte plus ou moins franche et dense. Mêlées en bain de teinture, elles se complètent pour obtenir une plus large palette de couleur et une meilleure qualité. Communes ou luxueuses, toutes ces « herbes magiques » ont été longtemps essentielles aux hommes.

.INUM ANGUSTIFOLIUM (Huds) Linée
Lin.

GALIUM VERUM L.(Etoilée)
Vrai Gaillet

waterlily. The bark of fruit trees, such as the apple, walnut and cherry tree can also be used. The only colour that poses a genuine problem is green. Omnipresent in nature, from the hibiscus to the peachworth, from the leaves of the silver birch to those of the rose bush, it is very difficult to obtain a satisfactory dye whatever the source. The best method of obtaining the finest nuances is still to mix yellow and blue.
Used in isolation, all these plants, depending on their quality, give tints of a varying degree of clarity and density. Blended together in a dye bath, they complement one another to produce a wider range of colours and a better quality. Common or luxury, all these "magic herbs" have long been essential to man.

Dès le néolithique, l'homme apprend à cultiver, tisser et teindre le lin.

In the Neolithic age, man cultivated flax, and learnt to weave dyed and decorated clothing.

***Intérieur de tisserand*,**
de Jakob Kulle, 1878.
Musée des Augustins,
Toulouse.

Des champs de fleurs jaunes

Fields of yellow flowers

Le Lauragais offre de ravissants paysages, doucement vallonnés. Un sol riche et calcaire, un hiver clément, des pluies printanières et un bel été en font une terre d'élection pour la culture du pastel.

Hungry for this rich limestone soil, fields of pastel tumbled down the slopes of Les Terreforts. The mild winters, spring rain and hot summer sun combined to ensure abundant growth.

De feuilles en coques

Si les conditions offertes par le Lauragais, tant par la qualité de sa terre que par celle de son climat, sont idéales pour la croissance du pastel, sa culture exige un labeur harassant accompli par un abondant personnel qualifié.

La racine, charnue, doit pouvoir librement s'enfoncer dans un sol riche et meuble. Il faut donc procéder à un labour profond. Point de sillons, le champ est apprêté comme pour une culture maraîchère, entièrement retourné en tous sens et les mottes brisées au maillet. Largement enrichie de fumier de gros bétail, la terre est alors prête à accueillir les semailles.

Sa pousse est rapide mais le pastel d'hiver rapporte peu. Alors on préfère ensemencer en février. Semées à la volée, avec précaution pour que le vent ne les emporte pas, les graines, de préférence de l'année précédente, sont largement distribuées. Le travail est constant et nécessite une nombreuse main-d'œuvre dès l'apparition des premières feuilles. La terre souple et grasse favorise aussi la croissance des mauvaises herbes. Des dizaines d'hommes, de femmes et d'enfants sillonnent les champs pour sarcler et biner. Dès le mois de juin, on peut observer la maturation des

Seules de petites surfaces étaient consacrées à la floraison du pastel, pour obtenir les précieuses graines.

Only small areas were devoted to the cultivation of the pastel plant to obtain the precious seeds.

From the leaf to the cake

Although the conditions presented by the Lauragais region, namely the soil quality and the climate, were ideal for the growing of pastel, its cultivation demanded hard toil and plenty of expert labour.

The fleshy root had to be able to grow deep into a rich, loose soil. Ploughing had therefore to be deep. No furrows were needed, the field was prepared as it would be for market garden produce, thoroughly turned over in every direction and any clumps broken up with a mallet.

premiers plants.

Leurs feuilles, ordinairement souples et d'un vert bleu soutenu, commencent à s'amollir et à foncer. Comme le coton, le pastel nécessite une récolte de choix. Point de moisson. Progressant à genoux, les ramasseurs, armés d'une petite faucille, sélectionnent un à un les plants chargés de colorant. Il est conseillé d'effectuer le ramassage après l'évaporation de la rosée du matin. De juin à novembre, on peut en général procéder à quatre cueillettes. Riche de sa terre, le Lauragais avait aussi l'avantage d'avoir dans la région assez de travailleurs compétents pour accom-

Greatly enriched with large cattle manure, the soil was then ready to be sown. Growth was rapid, but winter pastel had a low yield. It was therefore preferable to sow in February.

Seeds, preferably from the previous year, were sown broadcast with great care so as to prevent them from being carried away by the wind, and were scattered over a broad area. This required constant work and an abundant workforce as soon as the first leaves appeared. The supple, fat soil also favoured the growth of weeds. Dozens of men, women and children went back and forth across the fields weeding and hoeing. As early as June, it was possible to see the maturation of the first plants. Their leaves, ordinarily supple and a strong blue green in colour, began to soften and yellow. Like the cotton plant, pastel necessitated a choice harvest. Instead of harvesting whole fields at a time, the gatherers got down on their hands and knees and, armed with small sickles, selected the dye-laden plants one by one. Gathering was recommended after the morning dew had evaporated. From June to November, four harvests were generally possible. The Lauragais

Les premières feuilles du pastel forment une rosette, semblable à une salade. Dès que ces feuilles sont à maturation, on les récolte.
Ce travail pénible, effectué à genoux, est accompli par une nombreuse main-d'œuvre.
La récolte est ensuite étalée au soleil, avant d'être portée au moulin.

The first leaves of the pastel grow in a rosette formation, similar to a lettuce. As soon as they have matured, the leaves are harvested. This laborious process was carried out by an abundant workforce, who worked on their hands and knees. The harvest was then spread out in the sun to dry, before being taken to the mill.

Symbole de la fleur du pastel au-dessus de l'entrée du château de Roquevidal.

Stone adorned with pastel flowers on the facade of Roquevidal palace.

Les collines du Lauragais se parent de nombreux châteaux pastelliers. Embellis à la Renaissance, ils restent des témoins essentiels de l'épopée du pastel. Pour mieux les découvrir, vous pouvez emprunter la Route du pastel du pays de cocagne. Château de Roquevidal.

The hillsides of the Lauragais region were adorned with numerous palaces belonging to the pastel merchants. Ornate monuments to the Renaissance, they remain essential witnesses of the epic pastel era. Roquevidal Palace.

L'Allemagne et l'Angleterre ont perpétué la culture du pastel jusqu'au XXe siècle. On peut ainsi, sur ce document exceptionnel, voir un moulin pastellier en activité.

Germany and England continued the cultivation of pastel until the 20th century. This rare document thus shows a pastel mill in operation.

plir toutes ces tâches. Les feuilles, fragiles, flétrissent rapidement après leur récolte. Il faut donc les laver de toute terre et les exposer au soleil. Régulièrement retournées, elles sont surveillées attentivement pour qu'elles sèchent sans noircir et sans amorcer de fermentation. Une fois séchées, les feuilles doivent être broyées au moulin sans délai.

Les moulins pastelliers sont abrités dans de simples bâtiments, que rien ne distingue. Longtemps élément essentiel dans nos campagnes, ils ont été recyclés ou transformés après l'effondrement du pastel. Il n'en reste plus un de nos jours. Seules quelques meules disloquées, abandonnées au bout d'un champ, ou la reconstitution d'un moulin au château de Magrin

region, with its rich soil, also had the advantage of being able to provide sufficient competent labour in the region to accomplish all these tasks.

The leaves are fragile and wilt rapidly after harvesting.

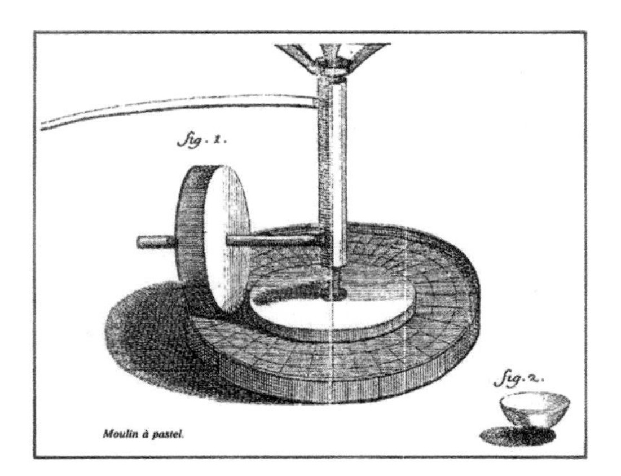

On comptait des centaines de moulins pastelliers. Il n'en existe plus de nos jours et seules quelques meules abandonnées rappellent leur existence.

For a long time, pastel mills were an integral part of our country areas, Not one remains to this day. Now there are only dismantled millstones or the reconstruction at the pastel museum to serve as a reminder.

Séchées et broyées, les feuilles étaient moulées en boules grossières pour former des coques, faciles à stocker et à transporter.

When the paste, although still supple, yielded no more liquid, it was time for it to be packaged for transportation. Women moulded large balls of pastel the size of a small melon between their fingers.

permettent d'imaginer leur fonctionnement. L'urgence du broyage des feuilles ne peut attendre que le vent veuille souffler. En été, le courant des rivières du Lauragais est faible et inconstant. Les moulins pastelliers doivent donc s'appuyer sur la force humaine ou animale. Le pastel est déposé au creux de l'ornière d'une grande dalle de pierre circulaire, disposée à plat, à même le sol. Mue par les hommes, ou par le bétail pour les plus riches, une meule, de pierre ou de bois, installée à la verticale, réduit en pulpe la récolte. La pâte ainsi obtenue est déposée

All the soil therefore had to be washed off the plants. They were then exposed to the sun, turned regularly and monitored attentively to ensure that they dried without turning black and before the first fermentation started. Once dried, the leaves had to be ground in the mill immediately.

Pastel mills were simple buildings, with no distinguishing features. For a long time an integral part of our country areas, they were either recycled or converted after the collapse of the pastel industry. Not one remains to this day. Now there are only dismantled millstones or the reconstruction at the pastel museum to serve as a reminder.

Such was the urgency for grinding the leaves that the pastel producers could not wait for the wind to blow. Also, the rivers of the Lauragais region were low in summer and their flow erratic, therefore the pastel mills had to rely on human or animal force. The leaves were placed in a groove on a circular slab. Powered by men, or cattle for those who could afford it, the stone or wooden millstone reduced the harvest to a pulp. The paste thus obtained was then spread over an inclined surface with channels carved into it. After a month or two of being regularly trampled underfoot, it began its first fermentation. When the paste, although still supple, yielded no more liquid, it was time for it to be packaged for transportation. Women moulded large balls of pastel the size of a small melon between their fingers. These then had to be dried again to facilitate marketing and transportation. They were dry in two weeks and hardened to such an extent that they could withstand fairly rough handling.

sur un plan incliné, entaillé de rigoles. Ainsi durant un mois ou deux, régulièrement foulée aux pieds, elle entame son premier processus de fermentation. Quand la pâte, bien qu'encore souple, n'exsude plus de sucs, il est temps de la conditionner pour son transport. Les femmes, entre leurs mains, moulent de grosses boules de la taille d'un petit melon. Il faut encore les faire sécher pour pouvoir aisément les commercialiser et les transporter. Ces coques ainsi formées ou cocagnes, en séchoirs exposées au vent et au soleil, sont prêtes en quinze jours. Réduites de moitié, elles sont devenues si dures que l'on peut sans ménagement les manipuler.

Certains achètent les coques, d'autres préfèrent acquérir un produit prêt à l'emploi.

Agranar, banhar, virar, trois mots pour résumer la difficile transmutation des cocagnes en colorant. *Agranar* ou moudre : la première étape consiste à briser les coques séchées. Ni caillou, ni sable, la poudre grossière obtenue est étendue sur le sol de l'atelier. *Banhar* ou mouiller : pour enclencher la deuxième fermentation, on arrose la poudre de pastel d'eau croupie, parfois d'urine humaine. *Virar* ou remuer : la bouillie obtenue est régulièrement pétrie. D'un coin à l'autre de la pièce, on la déplace régulièrement pour s'assurer que la réaction s'accomplisse de façon homogène. Cette opération est décisive. Si le processus ralentit, le pastel n'aura pas les vertus tinctoriales espérées : on tente de le réamorcer en utilisant du pastel de l'année précédente. Si par contre il est trop puissant et rapide, la seule ressource est le rajout d'eau pure. Mais le dosage est si difficile

Thus formed, the cakes or cocagnes, were then placed in a dryer exposed to the wind and sun to patiently await their miraculous destinies.

Some people bought the cakes, while others preferred to buy the ready-to-use product.

Agranar, banhar, virar. *These three words sum up the laborious process of converting pastel into dye. The first stage,* agranar *or grinding, consisted in breaking up the dried* cocagnes. *Resembling something between rock fragments and sand in consistency, the coarse powder thus obtained was spread over the floor of the workshop.* Banhar *or wetting, then triggered fermentation. The powder was sprinkled with stagnant water, or sometimes human urine.* Virar*, or stirring, consisted in regularly kneading the pulp. From one corner of the room to the other, it was kept on the move to ensure that the*

La pâte de cocagne, copieusement arrosée d'eau croupie, devait être régulièrement déplacée, pour assurer sa fermentation homogène.

The powder of cakes was sprinkled with stagnant water, or sometimes human urine. From one corner of the room to the other, it was kept on the move to ensure that the reaction took place evenly.

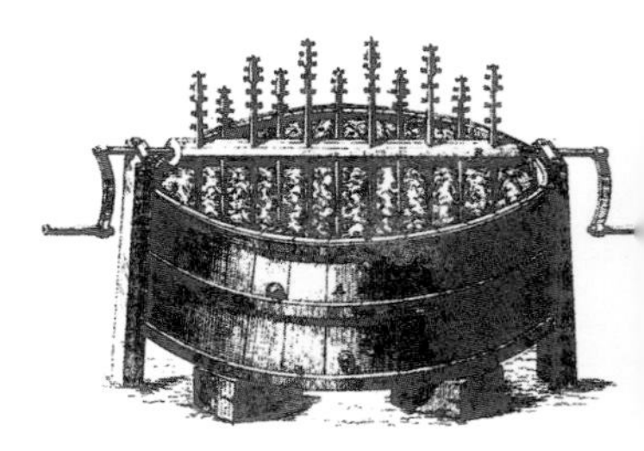

Une fois convenablement fermenté, l'*agranat* est mis à sécher. D'un bleu gris sombre, le pastel est enfin prêt à être employé par les teinturiers.

Once the laborious process was over, the agranat thus obtained was left to slowly dry out in the putrid atmosphere. From a raw material, the pastel finally became the developed product.

que l'on a vu des récoltes gâchées par un apport d'eau excessif. Cette pénible opération accomplie dans une atmosphère putride, l'agranat ainsi obtenu lentement se dessèche. De matière première, le pastel est enfin un produit élaboré.

Une organisation complexe

« Au pays de cocagne, plus on dort, plus on gagne ». Comme pour le bon vin, une lente maturation est bénéfique au pastel. Mais lui seul se repose, tout autour de lui, on se presse. Une organisation complexe se met en place et auprès des paysans et des marchands, des métiers spécifiques apparaissent.
Les collecteurs sillonnent les routes du Lauragais pour réserver sur pied les futures récoltes. À leur charge de collecter les précieuses coques et de les réunir en quantité suffisante pour les marchands toulousains. Pour s'assurer de leur honnêteté, ils ne sont pas payés au poids du pastel collecté mais intéressés au bénéfice qu'il permettra de réaliser. À eux donc de veiller à la qualité de leurs achats s'ils veulent toucher les fruits de leur travail.
Ensuite les *agraneurs* interviennent. Formées au gré des récoltes, temporaires, les compagnies d'*agranement*, en charge de transformer les cocagnes en précieux colorant, ont laissé peu de vestiges de leur activité. Leur rôle est essentiel mais leur activité si pestilentielle que les ateliers provisoires sont installés en campagne. De ces fragiles constructions, il ne reste rien.
Au début de l'été, la grande foire du pastel se tient à

reaction took place evenly. This operation was decisive. If the process was allowed to slow down, the pastel would not have the tinctorial properties hoped for. It could then be restarted using pastel from the previous year. If, however, fermentation was too rapid and powerful, the only solution would be to add pure water. However, it was difficult to get the correct proportions and many a harvest was spoilt by the addition of too much water. Once the laborious process was over, the agranat thus obtained was left to slowly dry out in the putrid atmosphere. From a raw material, the pastel finally became the developed product.

A complex process

"In the pays de cocagne, the more you sleep, the more you earn". Like fine wine, slow maturation was beneficial for pastel. Yet while the pastel rested, all around there was a hive of activity. A complex process swung into operation and specific skills emerged. Gatherers travelled the length and breadth of the Lauragais region to reserve future harvests in the form of standing crops.

Batterie d'extraction du bleu de pastel. Plus rapide et moins pénible, une nouvelle méthode est mise au point sous le Premier Empire.

Napoleon encourage the search for a new method of extracting the blue dye.

Toulouse. De toute la région, les charrettes lourdement chargées affluent vers Toulouse pour livrer les tonnes de pastel, en coques et *agranat*. Toutes sont réquisitionnées et il faut anticiper plusieurs mois à l'avance le transport des récoltes en réservant son transporteur. On imagine aisément l'aspect de Toulouse, envahie par ces encombrants équipages.

Le système de vente à Toulouse est original. On estime à la vue la qualité du lot de pastel et le prix est fixé. Vendeurs et acheteurs spéculent. Comme à la bourse, on achète à la hausse ou à la baisse, en espé-

It was their task to collect the precious cakes and assemble them in sufficient quantities for the Toulouse merchants. To ensure an honest deal, they were not paid by the weight of the collected material, but were given a share in the resulting profits. It was therefore up to them to monitor the quality of their purchase if they were to benefit from the fruits of their labour. Then the grinders would intervene. Gaining experience wherever the harvest took them, the travelling pastel grinders left few traces of their activity. The foul-smelling workshops were set up in the countryside. At the beginning of summer,

Après avoir été testé par les teinturiers, le pastel, une fois pesé, était ensaché dans des toiles brutes. Chaque marchand y apposait sa marque. Compréhensibles par tous, elles étaient composées de figures géométriques, associées parfois aux initiales du propriétaire.

Tested, bagged, marked and weighed, the pastel was finally ready to be sold. Bagged and tightly secured, the pastel had to be readily identifiable at every phase of transport through to delivery. The raw cloth bore certain markings. Stars, crosses and geometric figures gave rise to a multitude of combinations.

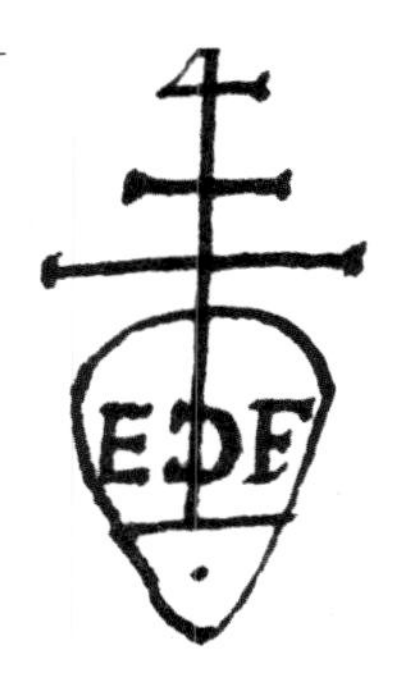

rant s'approprier rapidement les meilleurs lots. La vente faite, la qualité de chacun des lots de pastel est testée et le prix confirmé ou infirmé. La mesure estimant la longueur de tissu qu'il peut teindre sans faiblir est le florin, gradué initialement de 1 à 12. Plus le florin est élevé, meilleure sera la vente. Les teinturiers en charge de cette expertise ont un rôle essentiel et lucratif dans la transaction. Soupçonnés de corruption et d'ententes malhonnêtes, les marchands contestent bien souvent leurs services.

Deux autres corporations ont un rôle essentiel. Maître peseur et compagnon emballeur appartiennent à deux corporations conduites à travailler conjointement. Ils partagent le même saint patron, saint Michel, et le même siège de leurs compagnies, les Jacobins. Ensaché et étroitement ficelé, le pastel doit être facilement identifié tout au long du transport jusqu'à sa livraison. Les toiles brutes sont marquées : le signe de propriété, hâtivement exécuté à la main, doit être compréhensif par tous, lettrés et illettrés. Étoiles, croix et figures géométriques forment une multitude de combinaisons. Testé, ensaché, marqué et pesé, le pastel est enfin prêt à être commercialisé.

Ville de fleuve, Toulouse s'ouvre sur l'Atlantique. Au pied du Pont-Neuf, les quais de la Daurade foisonnent d'embarcations en partance ou revenant de Bordeaux. Là-bas, les quais de Langon accueillent les grands navires marchands, appelés à sillonner les mers du nord et du sud. Autour de ces vaisseaux, fourmillent les gabarres, vastes barques plates débordantes de grands sacs de pastel. Affrontant les flots imprévisibles de la Garonne, elles livrent en vagues continues les

L'église des Jacobins était le siège des corporations des peseurs et des emballeurs.

The Jacobins church was the headquarters of the Weighers and Packers guilds.

carts from all over the region converged on Toulouse to deliver the tonnes of pastel cakes and agranat.

Each batch had to be examined. The measure used was the florin. This latter graduated the quality and the strength of the pigment. The price was established according to this procedure. Evaluated by sight before the sale, the quality of the pastel was confirmed or otherwise by samplers. The dyers in charge of this proce-

précieux chargements à destination de toutes les métropoles européennes.

Secrets de teinturiers

Toute la difficulté dans l'art de la teinture vient de ce que les colorants utilisés sont de nature végétale ou animale. Ils ne peuvent donc pas être employés en l'état. Des opérations complexes (macération, ébullition, fermentation...) se révèlent nécessaires aux nettoyages d'impuretés propres à la nature du colorant (cire, résine...). La réussite de ces opérations est liée à la maîtrise de la température et de l'acidité de la préparation. On obtient ainsi deux types de colorants : soit prêts à l'emploi, soit précurseurs, c'est-à-dire nécessitant encore d'autres

dure had an essential role in the transaction: they confirmed the selling price. The test consisted in seeing what length of cloth the pastel could dye without colour loss. The dyers' guild was quick to allocate this essential and lucrative responsibility to its foremen or bailes, which it did systematically. The system did not always meet with the satisfaction of the merchants, who came increasingly to contest their services. Two other guilds had an essential role. Master weighers and journeyman packagers belonged to two guilds who had come to work together. They even shared the same patron saint, St. Michel. Bagged and tightly secured, the pastel had to be readily identifiable at every phase of transport through to delivery. The raw cloth bore certain markings. The mark of ownership, hastily executed by hand, had to be understood by everyone, literate and illiterate alike.

Les gabarres transportant le pastel étaient de lourdes barques à fond plat, semblables à celles utilisées ici pour ramasser le gravier de la Garonne.

Gabarres were heavy flat-bottomed craft, similar to those used here for collecting gravel from the Garonne.

Le bleu de pastel apparaît au contact de l'air, comme on peut l'observer ici sur ce rideau de scène, réalisé en 2002 par Henri Lambert, fondateur du Bleu de Lectoure.

Wood blue develops in contact with the air, as seen here in this stage curtain, manufactured in 2002 by Henri Lambert, founder of the Bleu de Lectoure pigment.

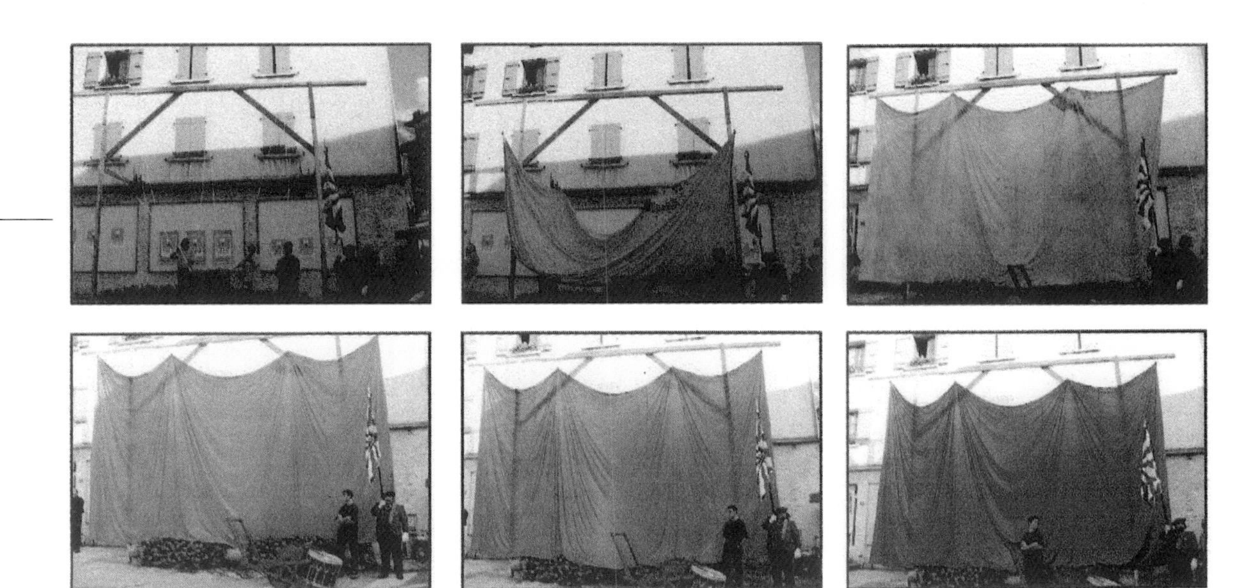

réactions chimiques pour libérer la couleur. Par exemple la pourpre et l'indigo sont incolores dans le bain de teinture, et seule l'exposition à l'air fait apparaître la couleur.

La nature de la fibre à teindre est aussi essentielle. Elle est soit animale (à base de protéines) soit végétale (à base de cellulose). Selon sa nature, les réactions chimiques ne seront pas les mêmes. Pour être efficace, le colorant doit se fixer durablement. On dit qu'il doit « mordre », d'où le terme de mordançage pour décrire la préparation de la fibre. Le mordant employé (souvent sel métallique, cendres végétales, alun, voire urine) ouvre la fibre et la prépare à recevoir l'agent colorant avec lequel elle se lie en une parfaite osmose ou *chimisorption*.

Tous les secrets des teinturiers tiennent dans la maîtrise de ces opérations. Longtemps empiriques et

Stars, crosses and geometric figures gave rise to a multitude of combinations. Tested, bagged, marked and weighed, the pastel was finally ready to be sold.

Toulouse, a riparian city, opened onto the Atlantic. At the foot of the Pont Neuf, the embankments of the Daurade abounded with vessels leaving for or arriving from Bordeaux. At Bordeaux, the Langon embankment welcomed large merchant ships having sailed the northern and southern seas. Around these vessels, the waters teemed with gabarres, huge flat craft overflowing with large sacks of pastel. Subjected to the unpredictable flooding of the Garonne, they delivered a continual stream of the precious cargo destined for all European cities.

Surprenante cuve de pastel, d'un vert étrange elle offre ensuite un bleu soutenu.

The vat of pastel astonishingly turns from a strange green to an intense blue.

fruits de l'expérience, ils sont jalousement gardés et transmis oralement de maîtres à apprentis. À partir du XIIIe siècle, nombreux sont les traités et récits consacrés à cet art. Mais en fait bien peu de ces recettes sont utilisables. La teinture est une alchimie délicate. Les textes qui lui sont consacrés sont habituellement ésotériques et les chiffres prescrits souvent allégoriques. Le sens des termes employés a aussi évolué dans le temps. Bouillir, par exemple, évoque-t-il, comme de nos jours, l'action de porter à ébullition ou fait-il référence à la seule action de la fermentation qui provoque un échauffement spontané des substances ?

À l'époque médiévale, on ne teint pas les fils mais les grandes pièces tissées, draps de lin ou de laine ou pièces de soies précieuses. Un bain de teinture raté, et tout est perdu. Aussi, les teinturiers sont fortement spécialisés. Chaque officine développe une expertise propre et se consacre à une seule couleur. On teint en rouge ou en bleu mais jamais les deux couleurs ne coexistent dans la même teinturerie. L'avènement du pastel met ainsi en péril les teinturiers de garance, qui

The Dyers' secrets

In medieval times, the procedure was to dye the pieces of cloth and not the yarn before weaving. The dyer's trade, therefore, was a highly specialised one. Each workshop developed its own skills and devoted them to one colour. Dyers worked either in red or blue, but never the two together. The difficulty in the art of dyeing lay in whether the dyes used were of vegetable or animal origin. They could not, therefore, be used as they were. Complex operations (maceration, boiling, fermentation...) were required when removing impurities peculiar to the nature of the dye (waxes, resins...). Being the result of fermentation, the success of these operations was linked to temperature and acidity control. Following these preparations, two types of dye were obtained: either those that were ready to use immediately, or precursors, which were colourless and which required other chemical reactions to produce the colour. Purple and indigo, for example, were colourless in the dye bath and only exposure to the air made the colour appear.

The nature of the dyed fibre was also vitally important. It was either of animal origin (protein base) or vegetable origin (cellulose base). The chemical reactions were not the same. In order to be effective, the dye had to be fixed permanently. It had to "mordre"*, or "bite", hence the term mordançage used to describe the preparation of the fibre. The mordant thus employed (often metal salt: plant ash, alum and even urine) opened the fibre and prepared it in readiness for a new molecule with which it bound in perfect osmosis or in chemisorption.*

Sous l'impulsion de Napoléon, on met au point de nouvelles méthodes d'extraction du bleu de pastel, précieusement consignées.

Under the impetus of Napoleon, new methods of extracting woad blue were developed and painstakingly recorded. Treatise on the pastel plant.

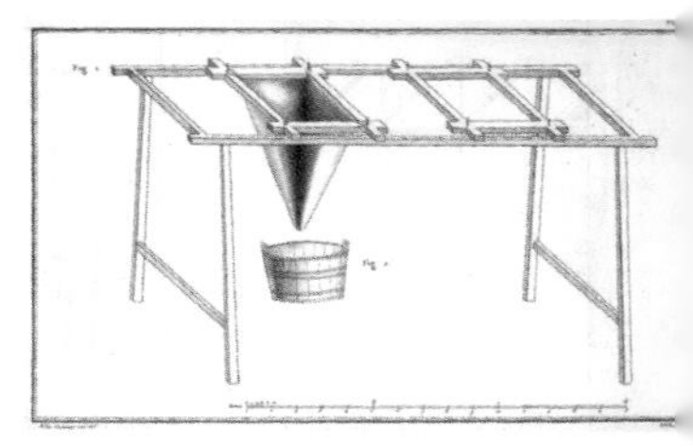

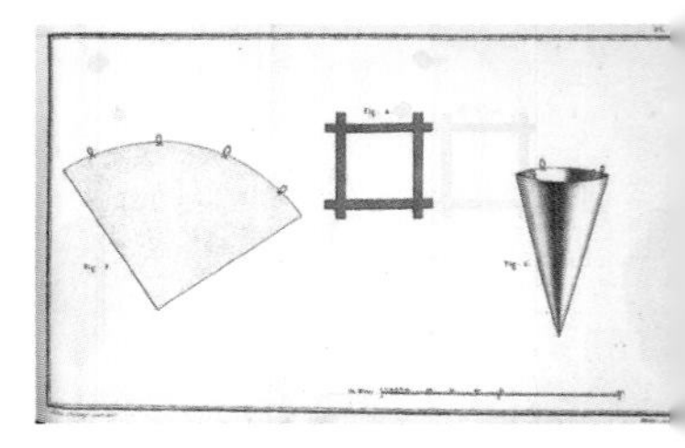

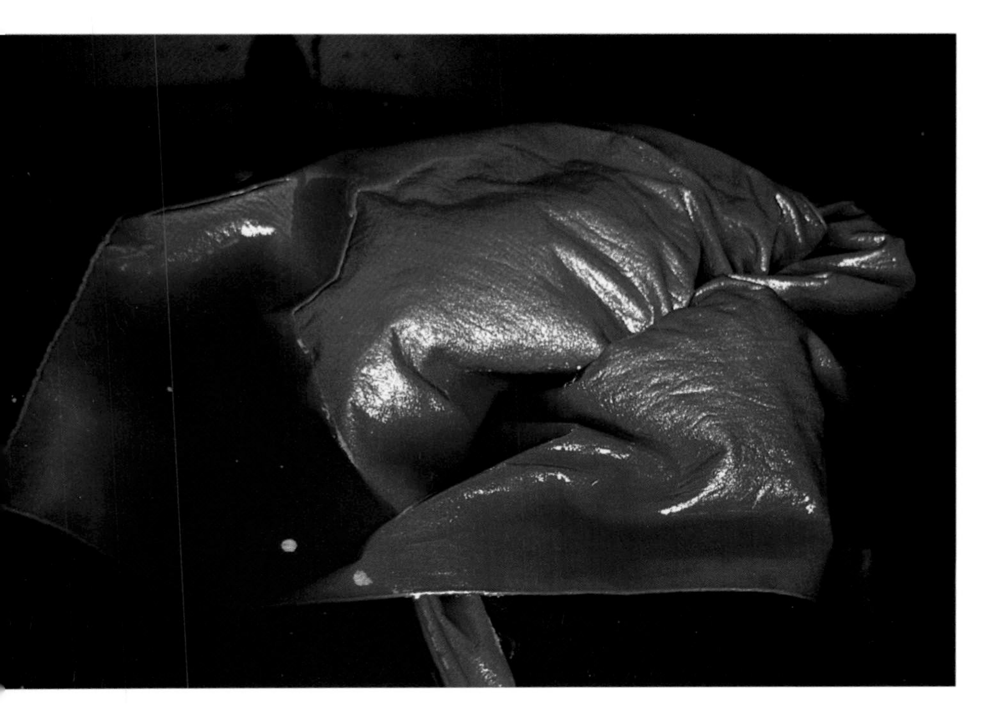

se consacrent au rouge, et la lutte qui les oppose est farouche.

Longtemps le pastel a nécessité de longues préparations. Développée dès la fin du XVIIIe siècle, une nouvelle méthode apparaît, s'inspirant de la préparation de l'indigo. Il s'agit d'extraire le principe colorant dès la récolte. Plus de compostage, les feuilles, aussitôt ramassées, sont mises en cuve, additionnées d'eau chaude. Après quelques heures, le liquide récupéré, mêlé d'eau de chaux, est agité pour se mélanger avec l'oxygène de l'air afin d'obtenir le pigment. Longtemps oubliée, cette méthode d'extraction du bleu, reprise et améliorée au XXe siècle, évite les opérations longues, malodorantes et pénibles et donne au pastel un nouvel avenir.

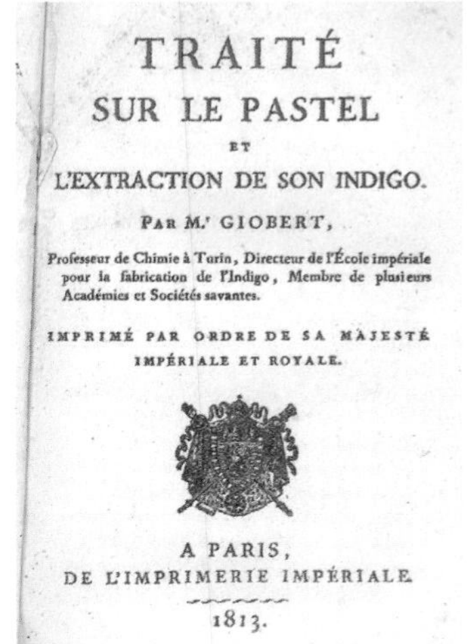

TRAITÉ
SUR LE PASTEL
ET
L'EXTRACTION DE SON INDIGO.
PAR M.r GIOBERT,
Professeur de Chimie à Turin, Directeur de l'École impériale pour la fabrication de l'Indigo, Membre de plusieurs Académies et Sociétés savantes.
IMPRIMÉ PAR ORDRE DE SA MAJESTÉ IMPÉRIALE ET ROYALE.
A PARIS,
DE L'IMPRIMERIE IMPÉRIALE.
1813.

All of the dyer's secrets lay in a thorough command of these two operations. For a long time based on empirical facts and the product of experience, they were jealously guarded and handed down orally from master to apprentice. From the 13th century, there have been many treatises and documents devoted to this art. Yet, in effect, very few can be put into practice. Dyeing is a delicate alchemy, texts on the subject are usually esoteric and the prescribed statistics often allegorical. The definitions of the terms employed have also evolved in the process of time. For example, does "boiling" imply, as it does nowadays, the act of bringing to the boil, or does it refer to the single act of fermentation, which brings about a spontaneous rise in temperature in a substance?

Nowadays, we no longer need to resort to all these long-winded, foul-smelling, laborious processes. The late 20th century saw the emergence of new pastel producers. Their pigment preparation methods were much simpler. Composting was no longer required. As soon as the leaves were picked, they were placed in a vat and hot water added. After a few hours, the liquid was retrieved, blended with limewater and agitated in order to mix with the oxygen in the air to obtain the pigment.

Palette de pastel

Palette de pastel

Palette of blue

Les artistes contemporains s'intéressent au Bleu de Lectoure. Christine Nicaise, technique mixte sur toile.

Contemporary artists develop an interest in Bleu de Lectoure. Painting by Christine Nicaise.

Pouvoir du bleu

Notre société entre dans ce troisième millénaire libre de ses choix dans l'utilisation des couleurs. Seul le blanc pour le mariage, et le noir pour le deuil restent des couleurs à l'usage convenu. Les autres circonstances de la vie ne sont plus régies que par nos propres envies. Il n'en a pas été toujours ainsi. Il fut un temps où la possession, l'usage et les couleurs des vêtements étaient légiférés selon le sexe, l'âge et la classe sociale.

Les lois somptuaires du XVIIe siècle régissent toutes les possessions domestiques : vaisselle, mobilier, et tout particulièrement le vêtement, symbole extérieur primordial d'un nouvel ordre moral. L'usage des couleurs y est aussi clairement défini : le blanc et le noir couvrent pauvres et infirmes. Le rouge désigne bourreaux et filles de joies. Le jaune stigmatise faussaires, hérétiques et juifs (la couleur jaune est traditionnellement associée à la synagogue dans l'iconographie). Le vert, seul ou associé au jaune, habille musiciens et jongleurs, fous et bouffons. Seul le bleu n'est pas soumis à réglementation. Ainsi tous peuvent le porter.

A son tour la Réforme protestante prône une réserve

The power of blue

Our society is entering the third millennium accompanied by a freedom of choice in the use of colours. Only white for marriage and black for mourning remain the colours of conventional usage. Life's other events are simply dictated to by our own wishes. It was not always so. There was a time when the possession, use and colour of clothing were governed by legislation, according to sex, age and social class. Seventeenth century sumptuary laws governed all domestic possessions, such as

Palette de pastel

crockery and furniture. They focused mainly on clothing, the basic external symbol of the new moral order.
The use of colours was also clearly defined: white and black for the poor and sick. Red for executioners and prostitutes. Yellow condemned forgers, heretics and Jews (the colour yellow is traditionally associated with synagogues in iconography). Musicians and jugglers, fools and clowns wore green, on its own or in combination with yellow. Blue was the only colour not to be subject to regulations. Therefore anyone could wear it. The Protestant Reform also advocated modesty and reserve in dress. Black and blue became the colours most frequently worn. The colour of kings was thus in general use in everyday life. The discovery of synthetic indigo would only serve to amplify this trend.
In politics, the colour blue asserted itself under the revolution. By decree, it became the colour of uniforms and gradually replaced red in soldiers' apparel. The sadly famous red military trousers, the last bastion for the use of madder, were withdrawn in the First World War.
Blue, the colour of the spirit and the infinite, is asserting itself as the most consensual colour, the symbol of peace and progress. The UNO, the European Union... all the great organisations choose it for their flags and everywhere in the world, peace-keeping forces are more commonly known as the "blue berets".
Thus, from being almost unknown for thousands of years, within a few centuries blue became the preferred colour of the western world. Only the Catholic church retained red as the symbol of power.

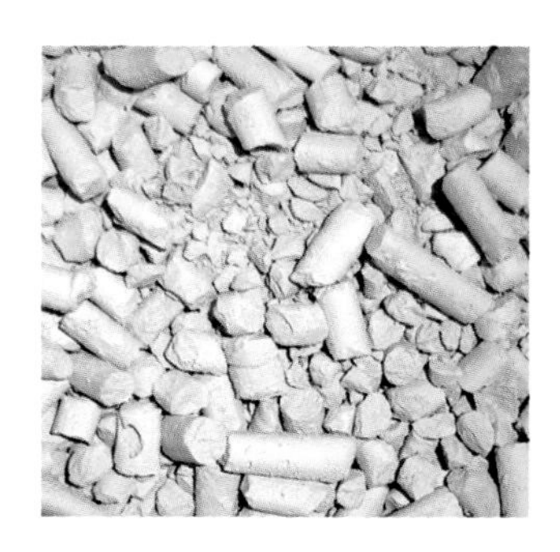

Craies de pastel : on attribue à l'Italie l'invention des craies de pastel.

Italy was the first attributed with the invention of sticks of ground pigment.

Bleus de pastel de Lectoure a créé une palette de sept teintes de pastel, du bleu naissant au bleu d'enfer.

Bleus de pastel de Lectoure *has created a variety of seven tints of pastel, from nascent blue to inferno blue*

modeste dans le vêtement. Le noir et surtout le bleu deviennent les couleurs les plus fréquemment portées. Ainsi s'impose la couleur des rois dans la vie courante. La découverte de l'indigo synthétique ne fera qu'amplifier cette tendance.

En politique, le bleu s'impose à la révolution. Par décret, il devient couleur d'uniformes et progressivement, il remplace le rouge dans les tenues des soldats. Dernier bastion de la garance, le tristement fameux pantalon rouge des soldats sera supprimé à la première guerre mondiale.

Couleur de l'esprit et de l'infini, le bleu s'affirme comme la teinte la plus consensuelle, symbole de paix et de progrès. L'ONU, l'Unicef, l'Union Européenne... toutes les grandes organisations le choisissent pour leur drapeau et partout dans le monde, les soldats de la paix sont plus connus sous le nom de « casques bleu ».

Ainsi, quasiment ignoré pendant des milliers d'années, le bleu est devenu en quelques siècles la couleur préférée du monde occidental. Seule l'église catholique a conservé le rouge, emblème de pouvoir.

Pastel de pigment

Dans les cuves de pastel, à la surface du bain agité, se forme une curieuse écume ; la fleurée du pastel. Précieusement récupéré, le pigment bleu ainsi obtenu sera recherché par les peintres. Serait-ce là l'origine du pastel, craie de pigment utilisée en peinture dès le XVIIe siècle ? Rien n'est moins sûr. On attribut à l'Italie la création de ces pâtes de craie et pigment mêlés et

Pastel pigment

In the pastel vats, a strange scum would form on the agitated surface of the dye, known as the fleurée. Carefully skimmed from the surface, this blue pigment was highly prized by artists. Could this have been the beginning of the pastel, the stick of ground pigment used in painting as early as the 16th century? Nothing could be less certain. Italy was first attributed with the invention of the crayon composed of chalks and

les dictionnaires s'accordent à lui donner comme étymologie *pastella*, pâte en italien. Cette technique picturale apporte aux portraits et paysages représentés une douceur inimitable. Les couleurs poudrées et adoucies créent, dans un univers de couleurs vives, de nouvelles teintes délicates, désormais qualifiées dans le langage courant de teintes pastel.

Palette de bleu

Si le bleu de pastel s'impose à la Renaissance, d'autres sources de pigment répondront à l'attente des teinturiers et des peintres. En voici quelques-uns, parmi les plus usités :

Bleu d'Alexandrie (bleu égyptien)

3000 ans av. J.-C., les Égyptiens élaborent le premier colorant artificiel, un silicate double de cuivre et de calcium. Ce matériau fabuleux va permettre de réaliser des pigments et des émaillages mais aussi des objets massifs.

Bleu de lapis-lazuli ou lazurite

Pierre précieuse venue d'Orient, le lapis-lazuli réduit en poudre possède une fixité dont n'approche aucun autre pigment : la couleur est solide à la lumière et d'une belle intensité. Déjà utilisé sous l'antiquité égyptienne, il est très utilisé par les peintres médiévaux, mais sa rareté en fait un pigment onéreux.

Bleu outremer

Au XIXe siècle, le gouvernement français lance un concours afin de trouver un produit de substitution au lapis-lazuli. On doit au chimiste Guimet, en 1828,

pigments blended into a paste and dictionary references state that the name is derived from pastella, *the Italian for paste. This pictorial technique gave portrait and landscape representations an inimitable softness. The soft, powdery shades, surrounded by a world of vivid colours, gave rise to new, delicate tints, now referred to in everyday language as 'pastel' shades.*

Palette of blue

Although pastel or wood blue asserted itself under the Renaissance, other pigments also satisfied the needs of dyers and artists. Here are a few of the most commonly used:

Alexandria blue (Egyptian blue)

3000 years BC, the Egyptians developed the first artificial dye, a double silicate of copper and calcium. This amazing substance would be used to produce pigments and enamels, as well as solid objects.

Lapis-lazuli or lazurite

A precious stone from the Orient, lapis-lazuli when reduced to a powder has a fixity that is unparalleled in any other pigment. The colour is light-fast and beautifully intense. Already in use in Egyptian Antiquity, it was commonly used by medieval artists, but its rarity makes it expensive.

Ultramarine blue

In the 19th century, the French government launched a competition to find a substitute product. In 1828, Guimet, the chemist, invented ultramarine blue, which was very close in tone to the precious stone. Artists

l'invention du bleu outremer, dont la tonalité est très proche de celle de la pierre précieuse. Les peintres adoptent immédiatement ce nouveau pigment. Sa qualité est telle que certains désignent le lapis-lazuli comme outremer naturel.

Bleu d'azurite ou azur d'Allemagne, azur de montagne

Il s'agit du pigment bleu le plus utilisé dans l'antiquité classique et le monde médiéval. Provenant d'un minerai, composé de carbonate basique de cuivre, sa stabilité est moins grande que celle du lapis-lazuli ; de plus il a tendance à virer au vert, son principal défaut. Les Grecs et les Romains le font venir d'Arménie, *lapis armenis*, ou de Chypre, *caeruleum cyprium*, tandis qu'au Moyen Âge on l'extrait des monts d'Allemagne d'où sa désignation de bleu de montagne. Il supplante progressivement les bleus d'Alexandrie pratiquement

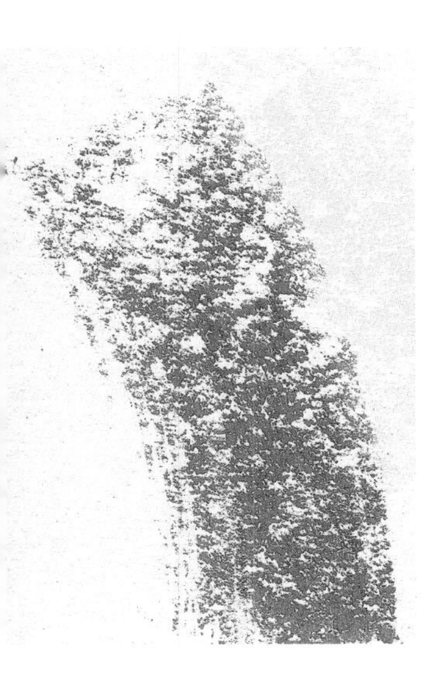

instantly adopted the new pigment. The difference in quality is illustrated by the fact that the colour is termed natural ultramarine blue when it is based on lapis-lazuli and synthetic ultramarine when it is not.

Azurite blue, Bremen blue, or Mountain blue

*This was the most commonly used blue pigment in classical Antiquity and the medieval world. Obtained from a mineral and composed of basic copper carbonate, it was less stable than lapis-lazuli. It also has a tendency to turn green, which is its main failing. The Greeks and Romans had it sent from Armenia (*lapis armenis*) or Cyprus (*caeruleum cyprium*) while in the Middle Ages it was extracted from the mountains of Germany, hence the name "Mountain blue". It gradually supplanted the Alexandria blues, which were virtually impossible to find in the Middle Ages, but never rivalled lapis-lazuli, which was more stable and luminous.*

introuvables au Moyen Âge mais ne rivalise jamais le lapis-lazuli, plus stable et lumineux.

Bleu indigo

La couleur est extraite de l'indigotier. L'ère des chimistes, avec son cortège de colorants de synthèse arrive. Pour remédier aux coûts élevés des bleus et réduire notre dépendance vis-à-vis de l'Angleterre qui détient alors le quasi monopole de l'indigo. Il faut plus de 20 ans à la firme allemande BASF pour réaliser une synthèse de l'indigo qui soit rentable. En 1904, l'Allemagne exporte 900 tonnes d'indigo de synthèse et trois fois plus en 1913. Cet indigo de synthèse va connaître un succès facile en Chine grâce à la mode

Indigo blue

*This colour is extracted from the indigo plant (*Indigofera tinctoria*). The chemistry era dawned with its procession of synthetic dyes to remedy the high costs of blue pigments and reduce our dependency on England, which at the time virtually had the monopoly of indigo. The German firm BASF took over 20 years to produce a synthetic indigo that was profitable. In 1904, Germany exported 900 tonnes of synthetic indigo and three times as much in 1913. Synthetic indigo was to take China by storm thanks to the fashion for the boiler suit started by Mao and was also used to dye work clothes and jeans.*

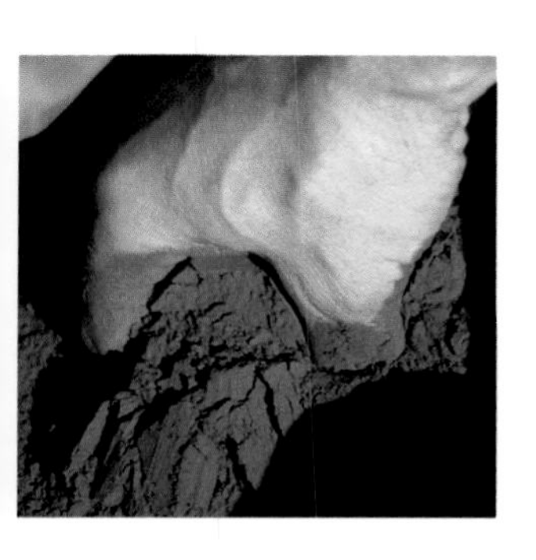

Dès la préhistoire, les hommes utilisent les pigments pour réaliser des peintures corporelles. L'artiste contemporaine Catherine Lambermont réinvente cette tradition ancestrale, à l'aide du pigment du Bleu de Lectoure.

***As early as prehistory, men were using pigments to produce body paints. The contemporary artist, Catherine Lambermont, has reinvented this ancestral tradition with the aid of* Bleu de Lectoure.**

du bleu de chauffe lancé par Mao, mais aussi dans la teinture des vêtements de travail et des blue-jeans.

Bleu de Prusse

Deux alchimistes prussiens, Diesbach et Dieppel, inventent « accidentellement » à Berlin un bleu foncé d'une grande force colorante en cherchant à synthétiser un cramoisi à partir de sel ferrique, de potasse et de sang. Appelé à la plus grande célébrité sous le nom de bleu de Prusse, il est fabriqué dès 1710 et donne lieu à de nombreuses variantes dont celle consistant à le stabiliser avec une grande quantité de charge minérale blanche donnant ainsi le bleu de Paris ou le bleu d'Anvers.

C'est un ferrocyanure double de fer et de potassium dont la structure extrêmement complexe diffère selon le mode d'obtention, on peut donc parler de bleus de Prusse. Les bleus sont noirs et profonds, d'une bonne solidité à la lumière, possèdent un pouvoir colorant marqué et un pouvoir couvrant satisfaisant.

Bleu de cobalt

Ce mot évoque en général une belle couleur bleu céleste. Comme substance, on le désigne sous les noms de smalt, bleu d'émail, verre de cobalt, parce qu'on le tire du cobalt, matière métallique, très utile pour la faïence et la teinte d'émaux. C'est le bleu ancien des peintres qui possède de nombreuses qualités, une grande vivacité de ton, une excellente résistance à la lumière.

Prussian blue

Two Prussian alchemists working in Berlin, Diesbach and Dieppel, accidentally discovered a dark blue with powerful dyeing properties when trying to synthesise crimson from ferric salt, potash and blood. More famously known by the name of Prussian blue, it was manufactured as early as 1710 and gave rise to numerous variations. One such variation consisted in stabilising it with a large amount of white mineral filler, which thus resulted in Paris or Antwerp blue.

Prussian blue is a double ferrocyanide of iron and potassium with an extremely complex structure that differs according to the method used to obtain it. This therefore gives rise to a number of Prussian blues. The blues obtained are deep, black and extremely light-fast. They have powerful dyeing properties and provide satisfactory coverage.

Cobalt blue

This term generally conjures up a beautiful celestial blue. As a substance, it is referred to as smalt, enamel blue, or cobalt glass, since it is extracted from cobalt, a metal which is extremely useful in producing faïence and the tinting of enamels. Long used by artists, cobalt blue has numerous qualities: it is vivid and extremely light-fast.

Bleu contemporain

Bleu contemporain

Contemporary blue

De nos jours, en décoration comme en prêt-à-porter, le bleu de pastel hisse à nouveau ses couleurs.

From interior decoration to ready-to-wear garments, woad blue is once again putting in an appearance.

En 1806, la France se trouve privée d'indigo, indispensable pour les uniformes de ses armées, par le terrible blocus qu'elle impose à l'Angleterre. Pour y pallier, Napoléon tente de relancer le pastel. Il soutient le renouveau de la culture et la recherche d'une nouvelle méthode d'extraction du bleu. Albi, à nouveau, est impliquée. On y installe la première école expérimentale d'extraction du bleu des feuilles de pastel. Mais tous ces efforts sont annihilés par la chute du Premier Empire et le pastel retombe dans l'oubli.

Lentement les plants ont déserté les Terreforts. Seule reste dans les esprits la fameuse expression « pays de cocagne ». Certes les demeures somptueuses des maîtres pastelliers s'inscrivent dans notre patrimoine, mais l'histoire se perd. Chercheurs et passionnés vont s'attacher, à la fin du XXe siècle, à ressusciter cette formidable épopée. Universitaire de grand talent, Gilbert Caster accomplit le premier une recherche remarquable, gisement exceptionnel d'informations. Sous sa plume renaissent grands marchands et petites gens qui contribueront, pendant deux siècles, à une des grandes périodes fondatrices de notre région. Tisserand et teinturier, passionné de pigments naturels, Gilbert Delahaye s'attache, de son côté, à

Échantillons de tissus, Bleus de pastel de Lectoure.

***Swatches of cloth dyed in* Bleus de pastel de Lectoure.**

Napoleon attempted to relaunch the pastel industry. In 1806, France found itself deprived of indigo, essential for the manufacture of its military uniforms, due to the crippling blockade that it had imposed on England. To remedy the situation, the Emperor encouraged the renewed cultivation of pastel and the search for a new method of extracting the blue dye. Albi, once again,

réimplanter le pastel, au pied de Cordes-sur-Ciel. De sa récolte, il réussit à extraire à nouveau du bleu, qui teindra les laines de ses tapisseries.

Le pastel n'a jamais fait l'objet d'une monoculture. Les seules architectures qui lui étaient dédiées, les moulins pastelliers, ont tous disparu. Les séchoirs ont été reconvertis. Un seul exemplaire en bon état est visible au château de Magrin. Patrice Georges Rufino, son propriétaire, en fait un lieu de mémoire en créant le musée du Pastel et en initiant les Routes du pastel au pays de cocagne. Ce circuit historique sillonne la région, permettant aux visiteurs de s'imprégner des paysages mythiques du pastel et de découvrir hôtels particuliers et châteaux embellis à la Renaissance. Les souvenirs sont ravivés. Du monde entier, des passionnés se retrouvent régulièrement. D'échange d'informations en communication d'expérimentation, tous

became a centre and site of the first Experimental School for extracting the blue dye from pastel leaves. However, all these efforts were annihilated by the fall of the Empire and pastel plunged once more into oblivion. Gradually the plants disappeared from Les Terreforts. *All that remained in people's memories was the famous expression* "pays de cocagne". *Indeed, the sumptuous residences built by the pastel masters became a part of our heritage, but their history was lost. Historians and enthusiasts endeavoured to revive this tremendous epic in the late 20th century. Gilles Caster, a gifted academic, was the first to produce a remarkable piece of research, an exceptional mine of information. In his writings, he brought back to life all the great merchants and minor figures who had contributed to one of the great founding periods of our region for two centuries. Gilbert Delahaye, for example, a weaver-dyer and natural pigment enthusiast, strove to reintroduce pastel at the foot of the Cordes-sur-Ciel. From his harvest, he succeeded in extracting the blue pigment once again, which he used to dye the woollen yarn used in his tapestries.*

Pastel was never a plant for single-crop farming. The only buildings devoted to its production, the pastel mills, have all disappeared. The dryers have been put to other uses. Just one example in good condition is visible at the Château de Magrin. *Patrice Georges Rufino, its owner, turned it into a commemorative venue by creating the Pastel Museum and by starting up the Pastel Route in* the pays de cocagne. *This historical route travels the length and breadth of the region, allowing visitors to soak up the mythical landscapes of the pastel plant and*

Les paysans du Lauragais utilisaient le bleu de pastel pour protéger les bois des volets et des charrettes. Il possède en effet des propriétés fongicides et anti-acariennes reconnues.

Farmers in the Lauragais region used woad blue to protect shutters and farm carts. It is, in fact, known for its fungicide and anti-mite properties.

Sur la Route historique du pastel au pays de cocagne, on peut découvrir les paysages du Lauragais et les plus remarquables châteaux pastelliers. Certains d'entre eux ouvrent leur porte aux visiteurs, comme ici le château de Loubens.

Along the Historical Pastel Route in the pays de cocagne, visitors will discover the landscapes of the Lauragais region and the most remarkable palaces once belonging to the pastel merchants. Some of them have opened their doors to the public, such as the **Château de Loubens** ***pictured here.***

Depuis 1994, la société Bleus de pastel de Lectoure est installée dans une ancienne tannerie du XVIe siècle. On peut y découvrir toutes ses créations et s'initier au mystère de la teinture du pastel.

Since 1994, Bleus de pastel de Lectoure *has been housed in a former 16th tannery. Visitors can come here to discover the full range of creations and learn about the mysteries of pastel dyeing.*

En tissu teint mais aussi en meuble peint, le pastel se prête à de multiples applications.

From cloth dyeing to painted furniture, pastel lends itself to many applications.

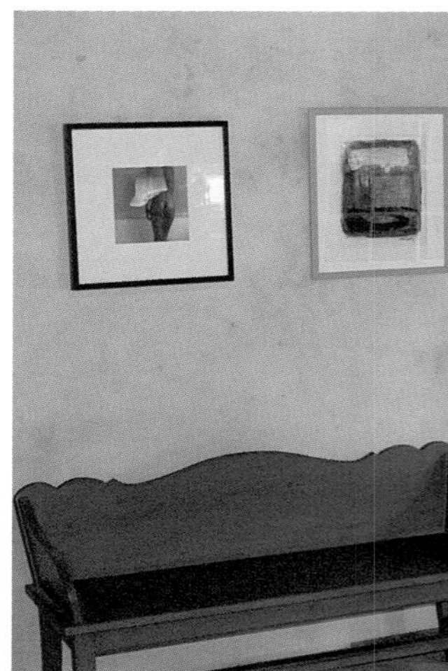

rêvent maintenant de voir à nouveau refleurir les champs de pastel. Cette envie n'est pas seulement inspirée par la nostalgie. De congrès en laboratoires de recherche, on découvre et redécouvre les pigments naturels. Leurs qualités sont évidentes, encore faut-il trouver de nouvelles applications.

Bleu de Lectoure

L'histoire du pastel en pays d'oc est empreinte d'alliances de compétences régionales et internationales. Cinq cents ans plus tard, la recette est

discover the private mansions and ornate palaces built during the Renaissance. Memories are rekindled. Enthusiasts from all over the world meet regularly for the chance to swap information and share experiments. It is now everyone's dream to see pastel fields in flower once again.

Nostalgia is not the only reason for this desire. From conferences to research laboratories, natural pigments are becoming a topic for discovery and rediscovery. Their qualities are obvious, but we are still in search of new applications.

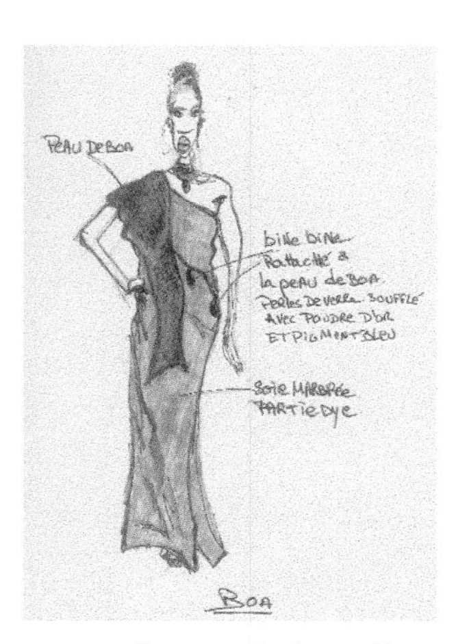

Carton de la styliste Magalie Richard, extrait d'une collection réalisée en partenariat avec le Bleu de Lectoure

***Sketch by the stylist, Magalie Richard, taken from a collection designed in partnership with* Bleu de Lectoure.**

toujours aussi efficace. En 1994, un couple cosmopolite s'installe dans le Gers, à Lectoure. Elle est américaine, il est belge. Esthètes et créateurs passionnés, Denise et Henri Lambert sont immédiatement séduits par le bleu du pastel. La société fondée, Bleus de pastel de Lectoure, décline mille produits. Beaux-arts, décoration et mode, les possibilités sont multiples. Inspiré de la classification établie par Colbert, Henri Lambert recrée une palette de sept nuances de pastel, du plus clair au plus sombre. Ces teintes se déclinent en encres, aquarelles et pastels. Peintures pour meubles et volets sont mises au point. Même la voiture des Lambert se pare de bleu. Une ligne de prêt-à-porter voit le jour. La haute couture s'intéresse au Bleu de Lectoure et Olivier Lapidus lui consacre un défilé.

Installé dans une ancienne tannerie du XVIe siècle, l'atelier se partage en trois activités. L'atelier de teinturier, ouvert au public, permet de découvrir, de pigment en cuve, le secret du bleu. Vitrine de leurs créations et galerie d'art, une boutique accueille de nombreux visiteurs. À l'étage, le studio de création bruisse d'une activité incessante, de la création d'une nouvelle ligne de beauté à l'organisation d'expositions.

Mais encore faut-il posséder le fameux pigment pour réaliser toutes ces créations. Il a fallu beaucoup d'énergie pour réaliser ce rêve. Plus de vingt hectares sont plantés en Ariège. Dans les champs, il faut mettre au point de nouvelles machines pour remplacer les hommes. On ne parle plus de coques et d'*agranat*. Sitôt cueillies, les feuilles, précipitées en

Stylistes du prêt-à-porter et de la haute couture se passionnent pour les nouvelles teintes obtenues avec le Bleu de Lectoure. Création d'Olivier Guillemin.

***Ready-to-wear and haute couture stylists are captivated by the new shades obtained with* Bleu de Lectoure.**

Bleu de Lectoure

The history of the pastel plant in the pays d'oc *region is informed by a combination of regional and outside skills. Five hundred years later, the recipe is just as effective. In 1994, a cosmopolitan couple settled in the Gers. She was an American, he was Belgian. Ardent aesthetes and*

passionate about design, the Lamberts were at once captivated by pastel or woad blue. Fine Arts, decoration, fashion, the possibilities were endless, yet a source of the famous pigment was required to fulfil them.
More than twenty hectares were planted in the Ariège. Out in the fields, heavy machinery replaced the human workforce. Cakes of pastel and agranat *were now a thing of the past. Once gathered, the leaves had to be precipitated in the vat to release the precious dye principle as quickly as possible. Then the extraction of the blue dye could begin. It all involved three years of research and effort in collaboration with the agro-ressource laboratory, CATAR. The subtle combination of artisanal skill applied to industry was a great success. The pigment produced was exceptionally pure. Now it is the yarn that is dyed and not the cloth. A ready-to-wear line was created. Haute couture also began to take an interest and Olivier Lapidus devoted a fashion show to the colour.*
From the new blue gold, Bleus de pastel de Lectoure *gave rise to a thousand products. Ensconced in a former 16th century tannery, the workshop is divided into three sections. The dyer's workshop, open to the public, allows visitors to discover the secret of the blue dye, from the pigment through to the vat. A boutique showcases a number of creations for the many visitors. Upstairs, the design studio throbs with incessant activity, from the design of new lines to the organisation of exhibitions.*
Used to produce anything from stunning dresses to stage curtains, Bleu de Lectoure *is making a name for itself both in France and abroad and will soon be as famous a pigment as Naples yellow or Prussian blue.*

De nos jours, plus de cocagnes et d'*agranat*. Les feuilles récoltées sont précipitées dans des cuves. L'extraction du bleu est maintenant industrialisée.
Dans les bains obtenus, les bobines de fils immergées, au contact de l'air, passent du vert au bleu.

Cocagnes and* agranat *are now a thing of the past. The leaves are harvested and precipitated in vats. The extraction of the blue dye is now an industrialised process. Spools of yarn are immersed in the dye baths and turn from green to blue in contact with the air.

On ne teint plus seulement les tissus mais également les fils. On peut désormais tout à loisir décliner en prêt-à-porter toutes les fantaisies de bleus.

Nowadays, it is no longer the cloth that is dyed, but the yarn. It is now possible to find ready-to-wear garments in every shade of blue.

cuve, doivent libérer rapidement le précieux principe colorant. L'extraction du bleu peut commencer. Trois ans de recherches et d'efforts sont nécessaires, en collaboration avec le laboratoire des agros-ressources de l'école de chimie de Toulouse. La subtile combinaison d'un savoir-faire artisanal appliqué à l'industrie est couronnée de succès. Le pigment réalisé est d'une pureté exemplaire. De robes d'exception en rideau de scène, le Bleu de Lectoure devient aussi célèbre que le jaune de Naples ou le bleu de Prusse.

Pastel shops

Toulouse and Albi, aside from souvenirs, can now offer new products developed from the pastel plant. The private mansion belonging to the pastel merchant Delfau was almost pre-destined to be the site of La Fleurée du pastel, *the first of the pastel shops. In the sophisticated setting of its Gothic vaults, the shop sells linen, silks and chalks of an infinite variety of blues.*
In 2000, L'Artisan pastellier *opened in Albi old town,*

Boutiques de pastel

Bleu naissant, bleu alazado, bleu turquin, bleu de reine, bleu de roi, fleur de guesde et bleu d'enfer, ces sept nuances de pastel se déclinent en mille applications. Oublié pendant près de deux siècles, au profit de la chimie, l'usage du colorant naturel apporte aux tissus et aux produits de beaux-arts une lumière incomparable et tous les plaisirs d'une couleur vivante. Linge de maison, prêt-à-porter, objets de décoration, encre, pastel et aquarelle, tous

where Claire Delahaye continues to perpetuate her father's passion for pastel. Her husband, Didier Boinnard, is a chemical engineer specialising in building techniques and Fine Arts. Using Bleu de Lectoure *pigment as a base, he has produced a series of interior and exterior wood paints, pigment sticks, oil crayons and dry chalks and, above all, a range of outstanding calligraphy inks. Out of the ten tints of pastel, the most commonly used are, from the lightest to the darkest:* bleu naissant *(nascent blue),* bleu alazado *(alazado blue),* bleu turquin *(Turkish blue),* bleu de reine *(Queen's blue),* bleu de roi *(King's blue),* fleur de guesde *(woad flower blue) and* bleu d'enfer *(inferno blue). This rich pallet of shades covers a thousand products and applications including household linen, ready-to-wear garments and decorative objects, all on sale in the shop.*

***L'Artisan pastellier* fabrique craies, encres et peintures à l'huile avec le *Bleu de Lectoure*.**

L'Artisan pastellier *manufactures pastel chalks, inks and oil paints using* Bleu de Lectoure *pigment.*

teintés au pastel, sont maintenant à nouveau disponibles sur Internet et dans quatre boutiques, à Lectoure, Toulouse et Albi.

Bleus de pastel de Lectoure ouvre la première boutique à l'ancienne tannerie et récemment, *Matière bleue*, dans le centre de Lectoure, vitrine de leurs nouvelles collections de prêt-à-porter.

Catherine Haedens crée à Toulouse *La Fleurée de Pastel* dans un lieu prédestiné, l'hôtel du pastellier Delfau. Sous les voûtes gothiques, dans une ambiance raffinée, le pastel des lins, des soies, et des craies décline une large palette de bleu.

En 2000, s'ouvre dans le vieil Albi *L'Artisan pastellier*. Claire Delahaye perpétue dans cette boutique la passion de son père pour le pastel. Dans l'atelier, Didier Boinnard, ingénieur chimiste, décline le pigment du Bleu de Lectoure en peintures sur bois, intérieures et extérieures, bâtons de pigments et surtout en incomparables encres de calligraphies.

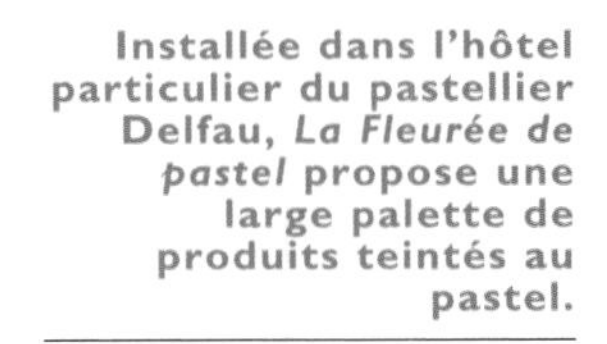

Installée dans l'hôtel particulier du pastellier Delfau, *La Fleurée de pastel* propose une large palette de produits teintés au pastel.

The private mansion belonging to the pastel merchant Delfau was almost pre-destined to be the site of* La Fleurée de pastel. *The shop sells linen, silks and chalks of an infinite variety of blues.

TRATE
SOUDE du CHIL
16%
D'AZOTE NITRI
Epingles
Barrettes & Divers
Etiquettes

Recettes de bleu

Pastel recipes

Atelier du Bleus de pastel de Lectoure.

***The workshop of* Bleus de pastel de Lectoure.**

Cuve d'indigo

La chimie vous a toujours passionné. À vous l'indigo, mais prudence, l'emploi d'acide sulfurique est toujours dangereux.

Concassez un pain d'indigo. Déployez un journal et placez au-dessus une feuille de papier blanc. Déposez sur la feuille 9 g d'indigo et enfermez-les dans le journal pour le réduire en morceaux. Achevez de le réduire en poudre dans un mortier. Disposez-en 3 g dans le fond d'un récipient de verre épais, à goulot étroit. Protégez vos mains de gants appropriés, que vous ne quitterez plus jusqu'à la fin de la préparation. Prenez, à l'aide d'une pipette, 12,5 ml d'acide sulfurique. Versez le doucement sur la poudre d'indigo, jusqu'à la dissoudre. Renouvelée trois fois, cette opération permet d'obtenir un liquide pâteux. Laissez-le fermenter 48 heures. Emplissez une bassine de 10 l d'eau froide. Versez goutte-à-goutte l'indigo préparé dans la cuve. Remuez doucement jusqu'à la dissolution complète de la préparation dans l'eau. Plongez maintenant le tissu dans le bain et commencez doucement à chauffer. Maintenez l'ébullition pendant trente minutes, tout en remuant. Arrêtez de chauffer et laissez refroidir bain et textile. Quand il est froid,

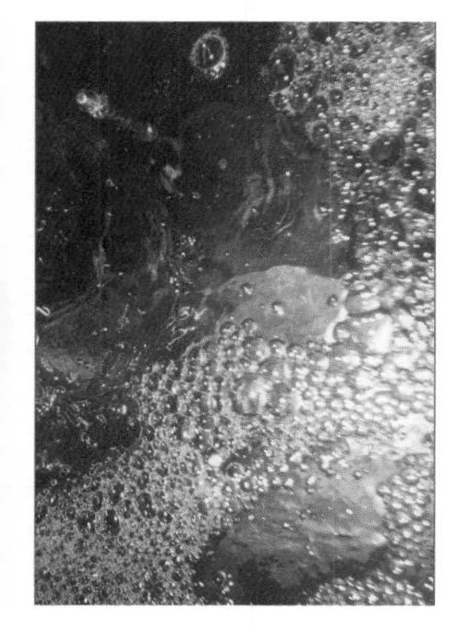

Recipe for indigo

So, you've always been fascinated by chemistry? Well, now you can make your own indigo, but take care, sulphuric acid is dangerous.

Break up a cake of indigo. Spread out some newspaper and place a sheet of white paper in the middle. Place 9 grammes of indigo on the sheet, wrap it in the newspaper and crush it into small pieces. Finish by grinding it to a powder in a mortar. Place 3 grammes in the bottom of a thick glass receptacle, with a narrow neck. Wear the appropriate gloves to protect your hands and don't take them off until the preparation is finished. Using a pipette, measure 12.5 millilitres of sulphuric acid. Trickle gently over the powdered indigo until it dissolves. Repeat the procedure three times to obtain a

Plan de construction d'une indigoterie. *Traité sur le pastel.*

Construction plan of an indigo factory. Treatise on the pastel plant.

récupérez le tissu pour le savonner au savon de Marseille. Rincez et laissez sécher.

Pastel à croquer

Gourmandise de pastel ? une recette originale élaborée par le grand chef cuisinier Yves Thuriès, du *Grand-Écuyer* à Cordes-sur-Ciel.
Pour réaliser 80 coques de pastel, il vous faut 100 g de crème UHT, 375 g de chocolat blanc,
100 g de Curaçao bleu, 250 g de chocolat noir et 200 g de sucre glace.
Faites fondre le chocolat au bain-marie, ajoutez la crème tempérée et mélangez. Terminez la préparation de la ganache en y ajoutant le Curaçao et laissez durcir la préparation au réfrigérateur. À l'aide d'une cuillère à café, confectionnez de petites boules et replacez-les au froid. Faites fondre le chocolat noir à une température de 33 °C. Plongez les boules de ganache dans le chocolat fondu pour les napper, puis roulez-les dans le sucre glace.
Vos cocagnes de pastel sont prêtes à être dégustées.

pasty liquid. Leave it to ferment for 48 hours. Fill a bowl with 10 litres of cold water. Pour the prepared indigo drop by drop into the vat, stirring gently until the preparation has completely dissolved in the water. Now steep the cloth in the bath and gently heat. Maintain at boiling point for thirty minutes, stirring all the time. Stop heating and allow the bath and cloth to cool down. When it is cold, remove the cloth and wash it in Marseille soap. Rinse and leave to dry.

Edible pastel

***Never heard of pastel sweetmeats? Here's an original recipe invented by top chef, Yves Thuriès,* du Grand-Écuyer à Cordes-sur-Ciel.**
To make 80 pastel cakes, you will need 100 g UHT cream, 375 g white chocolate, 100 g blue curaçao, 250 g plain chocolate and 200 g icing sugar.
Melt the chocolate in a bain-marie, add the tempered cream and mix together. Finish off the cream mixture by adding the curaçao and allow to harden in the fridge. Using a coffee spoon, roll into little balls and return to

Cuve de pastel

Une petite cuve, un peu de chaux, un thermomètre et de la patience, vous disposez de tous les ingrédients pour devenir un vrai *guèderon* (artisan pastellier).

Dans une grande marmite, ébouillantez 500 g de feuilles de pastel dans 4 l d'eau. Après ébullition, laissez redescendre la température de l'eau à 50 °C. À vous de maintenir cette température pendant toute une journée. Dès l'apparition de bulles crevant la surface du bain de teinture, incorporez, en remuant doucement, 6 g de chaux éteinte. Maintenez encore pendant deux à trois heures la solution à 50 °C. Puis, arrêtez le feu. Imbibez d'eau le tissu à teindre, avant de le plonger dans le bain de pastel. Laissez-le mariner un petit peu avant de le sortir et rincez-le. Le tissu, issu de la cuve, est vert. Au contact de l'air, vous pourrez le voir progressivement virer au bleu. Vous pouvez replonger le tissu autant que vous le souhaitez, jusqu'à ce que la teinte obtenue vous convienne.

De nos jours, pour obtenir une teinture de pastel, on plonge directement les feuilles dans de l'eau chaude, additionnée de chaux.

Recipe for wood: pastel leaves are boiled in water with slaked lime.

the fridge. Melt the plain chocolate at a temperature of 33°. Dip the confectionery balls into the melted chocolate to coat them, then roll in icing sugar.

Recipe for woad

All you need is a small vat, a little lime, a thermometer and patience, and you have all the ingredients you need to become a true* guèderon *(woad artisan).

Take a large pot, boil up 500 grammes of pastel leaves in 4 litres of water. Once it has boiled, allow the temperature of the water to drop to 50 °C. You then need to maintain this temperature for a whole day. As soon as bubbles begin to break on the surface of the dye, gently stir in 6 grammes of slaked lime. Maintain the solution at a temperature of 50 °C for another two to three hours. Then, remove from the heat. Soak the cloth to be dyed in water, before steeping it in the pastel bath. Leave it to steep a little while, before removing and rinsing. Straight from the vat, the cloth will be green. In contact with the air, you will see it gradually turn blue. You can steep the cloth as many times as you like, until you obtain the colour of your choice.

Expressions with blue

Linked to its symbolism or the object to be dyed, the colour blue is found in many French expressions, the origins of which are sometimes forgotten. Here are some of the more common ones.

Paroles de bleu

Lié à sa symbolique ou aux objets qu'il colore, le bleu est présent dans de nombreuses expressions, dont les origines sont parfois oubliées. En voici quelques-unes, parmi les plus courantes.

Passer au bleu signifie faire disparaître, escamoter. L'origine de cette expression serait inspirée du bleu des blanchisseuses, qui, adjoint à la lessive, permettait de blanchir les draps, en effaçant les traces jaunes.

Un **cordon bleu** s'emploie pour qualifier une excellente cuisinière. Une assemblée de fins gourmets, tous chevaliers du Saint-Esprit, se réunissaient régulièrement. L'excellence de leurs déjeuners fut longtemps associée au cordon bleu qui décorait les participants. D'où l'expression initiale, un vrai dîner de cordon bleu. Par la suite, le cordon bleu fut assimilé aux cordons du tablier de la cuisinière.

Dire d'une femme qu'elle est un **bas-bleu** est bien péjoratif: on qualifie ainsi les pédantes et fausses intellectuelles. L'expression vient d'Angleterre et date du XVIIIe siècle. La mode était alors, comme en France, aux salons littéraires. Un auteur mondain fit fureur dans les salons de Londres en arborant des bas bleus, venus de Paris. La mode fut lancée et un cercle fut même baptisé « Bas-bleu club ». L'expression est restée.

Être **fleur bleue** caractérise une personne sentimentale et légèrement naïve. Les grands romantiques se sont toujours passionnés pour la couleur bleue. L'expression viendrait de Novalis, poète allemand de la fin du XVIIIe siècle. Auteur du roman inachevé *Henri*

Passer au bleu *means to make disappear, whisk away. This expression is said to have been inspired by the fact that laundries would add a blue dye to the washing to remove yellow stains and make the sheets white.*

The term **cordon bleu** *(a blue ribbon) is used to describe an excellent cook. The* chevaliers du Saint-Esprit *were a group of gourmet connoisseurs who met regularly. They became renowned for their excellent lunches, which for a long time were associated with the blue ribbon awarded to their members. Hence the original expression* "un vrai dîner de cordon bleu" *(a true blue ribbon dinner). The blue ribbon was later associated with the ties on a cook's apron.*

Bas-bleu *or blue stocking is a highly pejorative term for a woman. It is also used to refer to pedants and pseudo intellectuals. The term dates from 18th century England. It was fashionable at the time to hold literary salons, as it was in France. One society author created a furore in London salons by wearing blue stockings from Paris. He started a fashion and there was even a particular circle called the "Blue Stocking Club". The expression stuck.*

The term **fleur bleue** *or blue flower is used to describe someone who is sentimental and slightly naïve. The great romantics were always fascinated by the colour blue. The expression is attributed to Novalis, a late 18th century German poet. In his unfinished novel,* Henry von Ofterdingen, *he described "The little blue flower, that part of sentimentality, of poetry, that is often hidden, in the depths of the human soul".*

The term **bleu** *or* **bleusaille** *is used in the army to*

Traditionnellement, paysans et artisans étaient vétus de toiles robustes teintes en bleu. Deux expressions s'en inspirent : le bleu de travail et la bleusaille, désignant les nouvelles recrues.

The terms bleusaille, used to describe a new recruit and bleu de travail were inspired by the traditional thick blue cotton overalls long reserved for farmers and artisans.

d'Ofterdingen, il décrit dans cet ouvrage « La petite fleur bleue, part de sentimentalité, de poésie qui est souvent cachée, au fond de l'âme humaine ».

Bleu, bleusaille, qualifie dans l'armée les nouvelles recrues. L'expression est inspirée des jeunes paysans se présentant aux portes des casernes vêtus de leur traditionnelle blouse de toile épaisse teinte en bleu. Ce vêtement, utilisé depuis le plus haut Moyen Âge, inspire aussi l'expression **bleu de travail**.

De tout temps, le bleu est associé au rêve. La maîtrise de la teinture bleue est très difficile. Les teintures courantes se délavaient, et prenaient quelquefois des teintes gris bleu inquiétantes. Du rêve au fantastique et à l'effroi, la frontière est fragile et le bleu fut longtemps la couleur de l'enfer. **Barbe bleue**, raconter des **contes bleus**, c'est-à-dire des histoires fantastiques, en sont témoins.

Avoir une peur bleue a une autre origine, relatée dans la guerre des Gaules. Les soldats romains étaient effrayés par les guerriers celtes. Combattant nus, ces derniers s'enduisaient le corps de bleu et jaillissaient des hautes herbes, tels des noyés ramenés à la vie.

Quand nous disons idées noires, les saxons parlent de démons bleus, *blue devils*. De la contraction de cette expression est né le **Blues**.

N'y voir que du bleu, nager dans le bleu c'est-à-dire ne rien voir venir, être dans l'incertitude, serait lié à la dimension infinie du bleu. Transparente, la couleur n'arrête pas le regard et fait perdre tout repère. Pour cette raison, les Romains se défiaient des hommes aux yeux bleus.

describe a new recruit. The expression was inspired by young farmers who would turn up at the barrack gates dressed in their traditional thick blue cotton overalls. This item of clothing, in use since the early Middle Ages, also gave rise to the expression **bleu de travail**, *or working clothes.*

From time immemorial, blue has been associated with dreams. Dyeing an object blue required great skill. Common dyes soon washed out and sometimes took on a disturbing blue-grey hue. The lines between the realms of dreams and those of fantasy and horror became blurred and for a long time blue was considered the colour of hell, as illustrated by the expressions **Barbe bleue** *(Bluebeard) and to tell* **contes bleus** *(blue tales), in other words fantastic stories.*

Avoir une peur bleue *(to have a bad scare) has another origin, which has its roots in the Gallic Wars. Celtic warriors would terrify the Roman soldiers by fighting naked, painting themselves blue and jumping out at them from the tall grasses, like drowned men returned from the dead. Where the French spoke of* "idées noires" *or black thoughts, the Saxons referred to blue devils. This is thought to have given rise to the contracted expression "the* **blues**".

N'y voir que du bleu *(to see nothing but blue),* **nager dans le bleu** *(to be swimming in the blue ocean), in other words to fail to see something coming, or to be uncertain, are thought to be linked to the colour blue as the symbol of infinity. Blue is seen as transparent. There is nowhere for the eye to settle on and all points of reference disappear. For this reason, the Romans mistrusted men with blue eyes.*

Fig. 1.
Fig. 2.

Pigment : c'est un composé qui ne se dissout pas dans l'eau, mais qui a un pouvoir colorant couvrant, seul ou mêlé à d'autres substances. Il est utilisé en peinture.

Colorant : c'est un composé coloré qui se dissout dans l'eau : il est donc employé en teinture pour colorier les tissus.

Pastel, ce mot a plusieurs significations.
Nom d'origine occitane du XIIIe siècle, il désigne la plante crucifère et le colorant qui en est issu.
Nom d'origine italienne du XVIIe siècle, il est utilisé pour les bâtons de pigments mêlés à la craie.

Pastellier, peut être utilisé en adjectif se rapportant à la plante pastel ; les artistes utilisant la technique du pastel sont appelés pastellistes.

Indigo : ce terme désigne le pigment issu de l'indigotier, arbuste poussant initialement en Orient. Son principe colorant, en s'oxydant au contact de l'air, donne la couleur bleue. Par extension, on nomme ainsi le principe colorant du pastel, de même nature. On parle donc souvent de l'indigo du pastel.

Mordant : c'est un corps chimique créant un lien intermédiaire (ou pont) entre deux substances dépourvues d'affinité réciproque, comme le textile et le colorant. On utilise le plus souvent des métaux ionisés plurivalents (oxydant métallique, métalloïde, oxydant organique, aluns, borate de sodium). De leur utilisation dépend la qualité de la teinture.

Mordançage : c'est l'action de préparer le support par un mordant avant teinture. Cette action est effectuée soit en préalable à la teinture, soit simultanément. Certaines plantes tinctoriales ne requièrent pas de mordant pour être efficace. Pourtant, dans bien des cas, le mordançage contribue à l'obtention d'une plus grande pureté dans la couleur. On peut jouer du mordançage selon le résultat souhaité : la cochenille, par exemple, donne des tons roses sur les étoffes non mordancées, et selon la nature des mordants employés, on peut en obtenir des coloris qui vont du rouge écarlate au pourpre.

Carnet d'adresses

Useful addresses

Pour visiter les châteaux pastelliers du pays de cocagne, vous pouvez contacter directement leurs propriétaires :

Château de Loubens (Hte-Garonne)
XVe - XVIe siècles
31460 LOUBENS
Tél. : 33 (0)5 61 83 12 08

Château de Montgeard (Hte-Garonne)
XVe - XVIe siècles
31560 MONTGEARD
Tél. : 33 (0)5 61 81 52 75

Château de Lastours (Hte-Garonne)
XVe - XVIIe siècles
31450 LASTOURS
Tél. : 33 (0)5 61 27 87 21

Hôtel Ardoyn (Ariège)
XVe - XVIIe siècles
09270 MAZÈRES
Tél. : 33 (0)5 61 69 42 04

Pour découvrir le pays de cocagne et ses plus beaux sites :

Route historique du circuit du pastel au pays de cocagne
Renseignements et réservations
Tél. : 33 (0)5 63 62 84 96

Musée du pastel (Tarn)
Château de Magrin, XIIe - XVIe siècles
81220 SAINT-PAUL-CAP-DE-JOUX
Tél. : 33 (0)5 63 70 63 82

Offices de tourisme du pays de cocagne et de la route historique du pastel

Albi (Tarn)
Tél. : 33 (0)5 63 49 48 80

Gaillac (Tarn)
Tél. : 33 (0)5 63 57 14 65

Graulhet (Tarn)
Tél. : 33 (0)5 63 34 75 09

Lautrec (Tarn)
Tél. : 33 (0)5 63 75 31 40

Lavaur (Tarn)
Tél. : 33 (0)5 63 83 12 20

Puylaurens (Tarn)
Tél. : 33 (0)5 63 75 28 98

Réalmont (Tarn)
Tél. : 33 (0)5 63 79 05 45

Revel (Hte-Garonne)
Tél. : 33 (0)5 34 66 67 68

Saint-Félix-de-Lauragais (Hte-Garonne)
Tél. : 33 (0)5 62 18 96 99

Toulouse (Hte-Garonne)
Tél. : 33 (0)5 61 11 02 22

Val d'Agout (Tarn)
Tél. : 33 (0)5 63 70 52 67

Villefranche-de-Lauragais (Hte-Garonne)
Tél. : 33 (0)5 61 27 20 94

Pour découvrir les produits du pastel,

Bleus de pastel de Lectoure
Pont de Pile - 32700 LECTOURE
Tél. : 33 (0)5 62 68 78 30

Matière Bleue
39, rue Nationale - 32700 LECTOURE
Tél. : 33 (0)5 62 68 98 30

L'Artisan pastellier
4, rue Puech-Bérenguier - 81000 ALBI
Tél. : 33 (0)5 63 38 59 18

La Fleurée de pastel
Hôtel Pierre Delfau
20, rue de la Bourse - 31000 TOULOUSE
Tél. : 33 (0)5 61 12 05 94

Le pastel inspire des créations originales :

Délicieuse spécialité, le Pastel d'Albi, est une coque de chocolat enfermant une précieuse ganache, de Curaçao délicatement teinte en bleu.

Chocolat Thuriès
Place Sainte-Cécile - 81000 ALBI
Tél. : 33 (0)5 63 54 47 60

Les Vignerons de Rabastens proposent une nouvelle cuvée de vins de pays des Côtes du Tarn, les Pasteliers.

Les Vignerons de Rabastens
33, route d'Albi - 81800 RABASTENS
Tél. : 33 (0)5 63 33 73 80

La douceur bleue du pastel se décline en une gamme de cosmétiques aux extraits naturels de la plante, créée en octobre 2003.

Graine de pastel
grainedepastel.com

Inspiré de l'histoire des teinturiers du XVe siècle, ce roman retrace le destin d'un jeune compagnon teinturier délaissant les cuves d'écarlate familiales pour s'initier à la teinture au bleu de pastel.

Le marchand de pastel Jean Bernuy se porta garant de la rançon de François Ier, prisonnier de Charles Quint. Enluminure commémorant la visite de François Ier à Toulouse.

The merchant Jean Bernuy was even able to stand surety for the payment of the ransom for François I, imprisoned by Charles Quint. Illuminated manuscript commemorating François I's entry into Toulouse.

Bibliographie

Fonds contemporain

- AURICOSTE Françoise, ***Histoire des artisans quercinois au XVIIe et XVIIIe siècles,*** Éditions Quercy Recherche, 2000.
- BALFOUR-PAUL Jenny, ***Indigo,*** British Museum Press, 1998.
- BOUCHER François, ***Histoire du costume en Occident de l'Antiquité à nos jours,*** Flammarion, 1965.
- CASTER Gilbert, ***Le commerce du pastel et de l'épicerie à Toulouse de 1450 environ à 1561,*** Éditions Privat, 1962.
- CASTER Gilbert, ***Les Routes de cocagne,*** Éditions Privat.
- CHEVALIER Jean, GHEERBRANT Alain, ***Dictionnaire des symboles,*** Éditions Robert Laffont/Jupiter, 1990.
- DELAMARE François, GUINEAU Bernard, ***Les Matériaux de la couleur,*** « Découvertes » Éditions Gallimard, 1999.
- DELAROZIERE Marie-Françoise, GARCIA Michel, ***De la garance au pastel,*** Éditions Édisud Nature, 1996.
- FAGOT Philippe, INDERGAND Michel, ***Bibliographie de la couleur,*** 1984.
- JUNOD Philippe, PASTOUREAU Michel, ***Regards croisés sur la couleur du Moyen Âge au XXe siècle,*** Éditions Le Léopard d'or, 1994.
- ODOL Jean, ***Lauragais, pays des cathares et du pastel,*** Éditions Privat, 1995.
- PASTOUREAU Michel, ***Bleu, histoire d'une couleur,*** Éditions du Seuil, 2000.
- PETIT Jean, ROIRE Jacques, VALOT Henri, ***Des Liants et des Couleurs,*** Éditions EREC, 1995.
- RICHARD Magalie, ***La teinture naturelle dans la culture de la couleur et le stylisme en création textile,*** Université Toulouse le Mirail, 2000.
- RUFINO Patrice Georges, ***Le Pastel, or bleu du pays de cocagne,*** Éditions Daniel Briand, 1990.
- TOUSSAINT-SAMAT Maguelonne, ***Histoire technique et morale du vêtement,*** Éditions Bordas, 1990.
- VARICHON Anne, ***Couleurs, pigments et teintures dans les mains du peuple,*** Éditions du Seuil, 2000.
- ***Bleu indigo, des plantes et des couleurs, indigotier, polygonum, pastel,*** « Les Cahiers de couleur Garance », 1999.
- ***Pastel, indigo et autres plantes tinctoriales : passé, présent et avenir,*** Communication du 2e congrès international du pastel, Toulouse, juin 1995.
- **« La science au service de l'art et des civilisations, couleurs et pigments »,** *Techne 4*, Vol.4, Réunion des musées nationaux, 1996.

Fonds ancien

- Comte CHAPTAL Jean Antoine, ***Chimie appliquée à l'agriculture,*** Huzard, 1823.
- DUBREUIL Alphonse, GIRARDIN Jean, ***Chimie organique, matières textiles et matières tinctoriales,*** G. Masson,1877.
- DUBREUIL Alphonse, GIRARDIN Jean, ***Traité élémentaire d'agriculture,*** Garnier frères, G. Masson, 1885.
- FIGUIER Louis, ***Les Merveilles de l'industrie,*** Journet-Furne, 1873.
- FUCHS Leonhart, ***Plantarium effigies,*** 1551
- GOULIN Jean, ***Abrégé d'histoire naturelle à l'usage des élèves de l'école Royale Militaire,*** Nyon, 1777.
- LE PILEUR D'APLIGNY, ***L'art de la teinture des fils et étoffes de coton,*** Serviere, 1798.

Crédits photographiques et sources iconographiques

© Éditions T. M. E.
sauf documents suivants :

page		
page	6-50(*bas*)-59-60-61-71-72-75(*droite*)-76-77-81-82-83	Bleus de pastel de Lectoure
	9-13-17-22-35-46-56-86	Musée Paul Dupuy, Toulouse
	8-37-47	Musée des Augustins, Toulouse - B. Delorme
	10	S.E.S.T.A. - D. Viet
	11-12-15-19-21-25-28-32-34-36-49-57-90	Archives municipales de Toulouse
	16	Musée des Augustins, Toulouse - D. Molinir. S.T.C.
	24	Conseil général 31 / Archives départementales / ENB 3104
	41-42-50(*haut*)	Conseil général 31 / Archives départementales / 4 Fi25
	52	Indigo - Bristish Museum Press
	62	Christine Nicaise
	69	Catherine Lambermont
	75(*haut gauche*)	Magalie Richard
	89	Gallimard

Enseigne de la boutique *l'Artisan pastellier*, à Albi, inspirée de la rosette de pastel.